国家社会科学基金“十三五”规划2018年度教育学重大招标课题
“建设教育强国的国际经验与中国路径研究”阶段性研究成果

全球教育治理研究系列

南非教育治理研究

A Study of Education Governance in South Africa

主　编　周洪宇　副主编　王建梁

李先军　著

长江出版传媒 | 湖北教育出版社

（鄂）新登字 02 号

图书在版编目（CIP）数据

南非教育治理研究/李先军著.

—武汉：湖北教育出版社，2020.6

（全球教育治理研究系列）

ISBN 978-7-5564-2937-0

Ⅰ.①南…

Ⅱ.①李…

Ⅲ.①教育管理-研究-南非共和国

Ⅳ.①G547.86

中国版本图书馆 CIP 数据核字（2020）第 049810 号

南非教育治理研究　NANFEI JIAOYU ZHILI YANJIU

出品人	方　平	策　划	刘　艺
责任编辑	杨宁巍	责任校对	王艳波
封面设计	牛　红　何亦明	责任督印	张遇春

出版发行	长江出版传媒	430070	武汉市雄楚大道 268 号
	湖北教育出版社	430070	武汉市雄楚大道 268 号
经　销	新　华　书　店		
网　址	http://www.hbedup.com		
印　刷	湖北恒泰印务有限公司		
地　址	武汉市江夏庙山开发区汤逊湖工业园		
开　本	710mm×1000mm　1/16		
印　张	13.75		
字　数	194 千字		
版　次	2020 年 6 月第 1 版		
印　次	2020 年 6 月第 1 次印刷		
书　号	ISBN 978-7-5564-2937-0		
定　价	80.00 元		

总 序

站在人类历史拐点探求全球教育治理之道

当我们把目光做一个转向聚焦，跳出教育，纵观世界，我们会惊奇地发现当今人类历史发展已处在新的拐点处——第四次工业革命正扑面而来，势不可当。这将给人类社会带来前所未有的系统而深刻的变革，也无疑会成为下一个时代教育的起点，并促使教育的变革与发展也随之迎来新的拐点。第四次工业革命的车轮驱动着全球化、新工业化、生态化、智能化和数据化时代滚滚向前，对教育发展变革，尤其是教育治理，带来了前所未有的冲击与挑战。这是全球教育治理以及中国教育治理必须构建的宏观视野。

一、人类历史拐点与教育发展的十字路口

在人类社会发展的历史长河中，技术革新和传播持续推动着人类创造新的世界。从农耕时代到工业时代再到信息时代，人类历史不断从一个阶段迈向另一个阶段。信息时代是人类正在经历的发展阶段，这个阶段无疑只是人类漫漫历史征程中的一个特定时期。未来，人类将走向何方？还可以走多远？

历史上，工业革命是指工业化进程中所发生的重大变革。新的制造工具的应用，推动了工业发生根本性的变革，引起了工业从旧质飞跃到新质，使国民经济的产业结构发生了重大的变化，进而使经济社会各方面出现了崭新面貌，推动了人类社会发展的进程和文明的程度。[①]人类进入工业文明阶段后至今已经发生了三次工业革命。从18世纪第一次工业革命的机械化，到19世纪第二次工业革命的电气化，再到20世纪第三次工业革命的信息化，一次

① 周洪宇. 周洪宇论第三次工业革命[M]. 武汉：湖北教育出版社，2014：215.

次颠覆性的科技革新，带来社会生产力的巨大解放和生活方式的大变革，从根本上改变了人类发展的历史轨迹。

统观前三次工业革命，可以发现它们对世界发展格局都产生了巨大影响。一是都极大地促进了社会生产力的发展，带来了工业布局的新变化。第一次工业革命随一波创新浪潮而来，例如蒸汽机和棉纺机的发明。它伴随着一次历史性剧变，带来许多系统性的变化，如城市化、大众教育和农业产业化等。第二次工业革命的核心是电气化和大规模生产，为世界带来了全新的社会模式和生产方式。第三次工业革命，以电子、信息技术和网络为核心，也被称为数字革命，在过去的七十多年，实现了生产的自动化，世界互联互通，使传统的物理世界彻底颠覆。二是都引起了社会关系的重大变革。第一次工业革命导致近代社会工业无产阶级和资产阶级产生，并开启了大规模的城市化进程。第二次工业革命致使垄断组织出现，并与国家政权结合，使自由资本主义过渡到垄断资本主义。第三次工业革命使国家垄断资本主义强化，第三产业比重上升。三是都对世界格局产生巨大影响。第一次工业革命确立了资本主义对世界的统治，殖民扩张造成东方从属于西方。第二次工业革命最终形成资本主义世界体系、殖民体系，世界成为一个密不可分的整体。第三次工业革命推动了国际经济结构的调整，全球化加速，世界各国经济相互依存，联系日益紧密。相较农耕文明时代而言，工业文明时代的人类更深刻地改变和影响了地球。第一、二次工业革命所创造的财富与统治力所向披靡、无可抵挡。第三次工业革命呈现了信息技术革命、生物技术革命等新形态，表现为新能源、新技术、新材料与互联网的融合、创新和运用。[①]它继续推进及强化了人类对自然的改造和控制力。

进入21世纪，科技推动社会飞速发展，大数据、人工智能、云计算等前沿技术不断取得突破，新技术、新业态、新产业层出不穷。这些因素促使第四次工业革命浪潮汹涌而至，这是一场更大范围、更深层次的科技革命和产业变革，即将深刻改变人类社会的发展进程。“第四次工业革命论”首倡者、世界经济论坛主席克劳斯·施瓦布所著的《第四次工业革命》一书认

① 周洪宇.周洪宇论第三次工业革命[M].武汉：湖北教育出版社，2014：218.

为这场革命正以前所未有的态势向我们席卷而来。其发展速度之快、范围之广、程度之深丝毫不逊于前三次工业革命。第四次工业革命的核心是智能化与数据化，它将数字技术、物理技术、生物技术有机融合在一起，即通过技术融合消除数字世界、物理世界和生物世界之间的界限。[①]因此迸发出强大的力量，对我们的经济和社会产生深刻影响。可植入技术、数字化身份、物联网、3D打印、人工智能、区块链、大数据、纳米技术、生物技术、材料科学、能源储存、量子计算等技术变革同步进行，融合形成一个高度灵活、人性化、数字化的产品生产与服务模式。与前三次工业革命不同，本次工业革命呈现出指数级而非线性的发展速度。原因在于我们目前生活在一个万物互联的世界，而且新技术也在不断催生更新、更强大的技术。创新的发展速度和传播速度比以往任何时候都快。这是一场深刻的系统性变革。它不仅从根本上改变了我们的生活、工作以及相互之间的关系，更改变了整个社会和我们的身份。

这些变革让各国、各类组织、人与人之间的利益和命运紧密相连，深度交融。我们认识和理解这次革命需要跨界思维。这次革命在推动生产力水平提高、物质丰富的同时，也将从速度、深度、广度上给个人以及经济、政治、社会和文化的发展带来新的冲击和变化、机遇与挑战。然而，世界经济新旧动能转换尚未完成，南北失衡等深层次、结构性问题还未消除。地缘政治冲突此起彼伏，保护主义和单边主义愈演愈烈。[②]这些问题与第四次工业革命带来的冲击合流，将成为影响世界和平与发展的不稳定因素。这正是我们今天所处的时代，是我们正面临的人类发展的历史拐点。

第四次工业革命和伴随着它的系统性变化，将会比以往任何时候都更加强调合作参与，要求进一步改变协同参与的方式，要求我们共同构想自己将要创造的未来。面对全球发展对沟通、合作越来越多的需求和依赖，每个国家都应该积极推进开放分享。德国政府在《德国2020高技术战略》中提出的

① World Economic Forum. The Fourth Industrial Revolution，by Klaus Schwab [EB/OL].[2020-01-14]. http://www. weforum. org/about/the-fourth-industrial-revolution-by-klaus-schwab.

② 习近平. 让美好愿景变为现实——在金砖国家领导人约翰内斯堡会晤大范围会议上的讲话[N]. 人民日报，2018-07-27（3）.

十大未来项目之一——工业4.0，旨在提升制造业的智能化水平，建立具有适应性、资源效率及基因工程学的智慧工厂，在商业流程及价值流程中整合客户及商业伙伴。其技术基础是网络实体系统及物联网。这是发达国家对第四次工业革命的积极回应。

全人类历史拐点的出现，把正在现代化建设道路上奋力前行的东方第一大国——中国再一次推到了历史的十字路口。前两次工业革命的缺席，使中国没有赶上西方的工业化进程，而成为工业化的后发国家。从中华人民共和国成立后的第一个五年计划起，中国在工业基础十分薄弱的条件下，开始了以工业化为核心的现代化征程。经历了从传统的社会主义工业化道路到改革开放后的中国特色社会主义工业化道路的转型，中国工业化取得了巨大的成就，中国已经从农业经济大国转变为工业经济大国。但它的工业化仍然没有完成，工业化进程仍在途中。今天，正当中国即将快速跨入工业化国家行列之际，人们眼前却横出一块“工业文明将就此止步”的警示牌，令中国蓦然站在时代大转型的历史关口。

站在人类历史拐点处，中国该何去何从？作为全球化进程的重要参与者，当前的中国也面临着经济、社会转型等重大问题。中国经济已由高速增长阶段转向高质量发展阶段，正处在转变发展方式、优化经济结构、转换增长动力的攻关期，迫切需要抓住第四次工业革命的机遇，寻找可持续发展的原动力。

放眼全球，人类正面临百年未有之大变局。基于互联网技术的智能化、数据化高度融合的第四次工业革命已经来临。我们不仅需要反思我们的经济、社会和政治体制，还需要反思我们的教育是否能够适应和引领这场深刻的变革，反思教育这把钥匙能否打开一扇可以让我们看到希望和未来的思考之门。

二、全球化新文明时代的教育治理

如果说告别工业化社会、迎接第四次工业革命带来的新文明是人类走出当前困境的必由之路，那么，由此催生的全球化时代则使全球治理成为现实。正在蓬勃发展的全球治理实践给全球教育治理带来了新的动力，进一步推动了全球教育治理的发展。

21世纪，随着全球化、区域一体化进程的持续发展，人类日益成为一个命运共同体。以人工智能、数据化等深度融合为标志的第四次工业革命让这种趋势愈发加速。人工智能及相关技术带来的安全和治理挑战是需要全人类共同面对的问题。同时，人类还面临许多领域的问题，如核威胁、气候变化、环境污染、疾病流行等。这些问题一旦爆发，各国很难独善其身。这就需要各国具备全球视野，协同合作，共同解决这些问题。“人类的政治生活正在发生重大的变革，其中最引人注目的变化之一，便是人类政治过程的重心正在从统治（government）走向治理（governance），从善政（good government）走向善治（good governance），从政府的统治走向没有政府的治理（governance without government），从民族国家的政府统治走向全球治理（global governance）。”[①]全球治理是国际体系中以主权国家为核心的各个行为体共同合作，通过正式制度和非正式制度安排，协调各自利益和政策，以应对全球化时代人类社会必须面对的各种跨国的全球性挑战，并支持各个国家实现国家治理水平提升的活动。从中国的角度看，全球治理与国家治理是当代中国两大战略考量。日渐崛起的当代中国，经济总量居于世界前列，成为世界经济增长的新引擎，国际社会赋予中国更多责任与希望。中国积极参与全球治理，有助于澄清当下国际社会对中国的质疑与误解，表明当代中国的担当，有助于化解国际社会对中国“参与不足”的指责，表明当代中国维护人类共同利益、推进人类共同进步的理念与追求，有助于赢得国际社会的尊重，从而引领着人类的发展。

教育治理是全球治理的一个重要组成部分，也是国家治理的具体内容。全球治理和国家治理的推进势必促进教育治理的发展。第四次工业革命必将深刻改变人类的学习方式和生活方式，引发人们对于“人”的价值的进一步思考。教育和教育治理的理念、规则、方式也不可避免地要受到影响和冲击。世界银行发布的年度旗舰报告《2018年世界发展报告：学习以实现教育的承诺》(World Development Report 2018：Learning to Realize Education’s

① 俞可平. 全球治理引论[J]. 马克思主义与现实，2002（1）.

Promise)指出，全球教育面临“学习危机”——上学却没学到知识，这不仅是浪费发展机遇，也是对全世界儿童和青少年的巨大不公。造成“学习危机”的一个重要原因就是低效的教育管理和治理。

近年来，全球教育治理的理念正在出现新的变化。2015年年底，联合国教科文组织发布了一份新的研究报告《反思教育：向“全球共同利益”的理念转变？》（Rethinking Education: Towards a Global Common Good ？）。这是联合国教科文组织成立七十多年以来，继1972年出版的研究报告《学会生存：教育世界的今天和明天》（Learning to Be：The World of Education Today and Tomorrow，又称《富尔报告》，即Faure Report）和1996年出版的研究报告《教育——财富蕴藏其中》（Learning：The Treasure Within，又称《德洛尔报告》，即Delors Report）之后，又一份非常重要的报告。联合国教科文组织总干事伊琳娜·博科娃在这一报告的《序言》中开门见山地写道：“我们在21世纪需要怎样的教育？在当前社会变革的背景下，教育的宗旨是什么？应如何组织学习？本出版物的思想便是因这些问题有感而发。”她继而写道：“我确信，我们今天需要对教育再次做出高瞻远瞩的思考。”博科娃认为“再没有比教育更加强大的变革力量”。她进而强调“教育促进人权和尊严，消除贫穷，强化可持续性，为所有人建设更美好的未来”，“教育以权利平等和社会正义、尊重文化多样性、国际团结和分担责任为基础”。她最后指出：“我们必须高瞻远瞩，在不断变化的世界中重新审视教育。”这种重新审视的结果就是我们21世纪的教育应该向“全球共同利益”的理念转变。可以断定，这份报告必定像前两份报告那样对世界教育的发展产生重大影响。

随着全球一体化进程加速，全球性教育问题（如教育不平等、“学习危机”等）将持续存在而且有复杂化的趋势。通信技术、信息技术和互联网技术的飞速发展，也让教育领域的许多问题，如信息技术背景下的核心素养、信息技术教育、教育与经济同步发展、教育与创新等，成为具有全球性特质的难题。要解决这些问题，客观上要求全球教育治理这一理念、方式及行动在世界各国教育领域中发挥越来越重要的作用。它要求世界各国站在全球的高度，运用现代治理的理论和理念，以主权国家为主体，充分运用国际政府组织、国际非政府组织、公民社会等的力量，寻求问题的最佳解决方案。教育领域已显现了全球化的负面影响，需要更有效的全球治理。[①]世界主要国家，国际组织如联合国教科文组织、世界银行、经合组织、联合国儿童基金会、二十国集团、全球教育合作组织等，全球知名智库如卡耐基教学促进会、布鲁金斯学会、兰德公司、澳大利亚教育研究委员会等，都是参与全球教育治理的行为主体。它们正通过各种方式介入全球教育领域的治理。全球教育治理是顺应时代发展趋势的一种新型治理理论，如何从参与全球教育治理的诸多行为主体的行动中总结全球教育治理的实践经验、提炼理论，如何运用其推动全球教育的发展，成为当前迫切需要研究的课题。

当前，中国正处于推进国家治理体系与治理能力现代化建设的关键阶段，教育领域也不例外。中国实行改革开放的国策，把自身置于世界的开放体系之中。改革开放推动中国教育取得了举世瞩目的巨大成就，教育同步助力改革开放走向更高水平、更高层次。与此同时，教育也面临着新的更大的机遇与挑战。党的十九大确定了中国发展新的历史方位——中国特色社会主义进入了新时代。新时代的社会主要矛盾发生了变化，教育领域的主要矛盾集中体现为人民对优质教育日益增长的需求与教育发展的不平衡不充分之间的矛盾。2019年2月，中国颁布了《中国教育现代化2035》和《加快推进教育现代化实施方案（2018—2022年）》，明确了未来一段时期中国教育发展的总体思路、战略任务、实施路径与保障措施。《中国教育现代化2035》提出对内要“加快推进教育现代化、建设教育强国，办好人民满意的教育”，对外则是要开创教育对外开放新格局，“积极参与全球教育治理，深度参与国际教育规则、标准、评价体系的研究制定。推进与国际组织及专业机构的教育交流合作。健全对外教育援助机制”。[②]文件方案的出台标志着中国教育现代化走向新时代、新目标和新征程。[③]推进教育现代化、建设

① 卡伦·芒迪. 全球治理与教育变革：跨国与国际教育政策过程研究的重要性[J]. 申超，译. 北京大学教育评论，2011（1）.

② 中共中央、国务院印发《中国教育现代化2035》[N].人民日报，2019-02-04（1）.

③ 周洪宇，刘大伟. 中国教育现代化走向新时代新目标新征程[N]. 中国教育报，2019-04-01（1）.

教育强国和参与全球教育治理势必对教育治理的理念、体系、制度、内容、方法等提出新的要求。当前，中国已置身于第四次工业革命主导的全球化、智能化、数据化、信息化、生态化时代，教育治理理念也将升级换代。第四次工业革命这一全人类共同面临的巨大变革，同样对不断深化改革、扩大开放的中国产生影响，也对中国的教育治理提出全方位挑战。对于当今的中国而言，建立现代教育治理体系、完善学校内部治理结构、推进教育治理体系与教育治理能力的现代化，不仅是重要的，而且是十分紧迫的时代任务。2019年10月召开的中共十九届四中全会通过了《中共中央关于坚持和完善中国特色社会主义制度、推进国家治理体系和治理能力现代化若干重大议题的决定》，提出要把我国制度优势更好地转化为国家治理效能，具体在教育领域，要“发挥网络教育和人工智能优势，创新教育和学习方式，加快发展面向每个人、适合每个人、更加开放灵活的教育体系，建设学习型社会”。十九届四中全会关于教育的论述及时地回应了第四次工业革命给教育带来的机遇和挑战，为国家教育现代化指明了方向。同时，参与全球教育治理亦是中国由教育大国走向教育强国的必由之路。中国由教育大国向教育强国迈进的征程中，在努力实现本国教育现代化的同时，秉持共商共建共享的全球治理观，积极参与全球教育治理，为人类社会贡献中国特色的教育智慧、教育治理方案和力量，既是中国的使命，亦是担当，更是走向教育强国、负责任大国的必然选择。[①]研究国家教育治理及全球教育治理的理论、实践、经验及教训，成为中国教育学术界的当务之急。

三、研究全球教育治理是中国教育学术界的当务之急

作为当代中国怀抱着理想、洋溢着激情、时刻关注着中国乃至人类命运、富有社会责任感和历史使命感的学术研究者，我们有义务也有责任从事教育治理包括全球教育治理的研究工作。作为当下中国主要民间教育智库之一的长江教育研究院及高校教育智库——华中师范大学国家教育治理研究

① 周洪宇，付睿. 参与全球教育治理：从教育大国走向教育强国的必由之路[J]. 世界教育信息，2018（3）.

院的重要成员，我们有义务也有责任从事教育治理包括全球教育治理的研究工作。我们的研究原则是“全球视野，中国本位，问题导向，专业研究”，这与我们智库的定位与目标“立足华中，影响全国，走向世界”，研究风格“全球视野，中国特色，专业能力，实践导向”，以及基本宗旨“民众立场，建设态度，专业视野”等，都是一致的。我们希望通过开展全球教育治理研究，“出思想，出人才，出产品，出效益”，真正发挥学术研究者的作用，推动中国的教育改革和发展，推进中国的教育治理体系与治理能力现代化进程，乃至促进全球教育治理理念、结构与体系的变革。

为此，我们以长江教育研究院、华中师范大学国家教育治理研究院的专家学者为主，同时邀请国内外知名高校的一批国别教育研究专家参与，组织撰写了这套“全球教育治理研究系列”。这套丛书的编写目的，就是要在全球化及第四次工业革命的背景下，探讨全球教育治理的理念、经验教训和趋势，进而讨论中国教育治理的发展道路。丛书涉及三个层面的视角，即超国家层面、国家层面、次国家层面。超国家层面主要研究联合国相关部门、国际组织、大型跨国公司等，分析其对全球教育治理进行研究的成果、形成的研究报告和政策是怎样影响世界各国的。国家层面研究各国在全球教育治理的背景下是如何根据本国国情进行本国国家教育治理的。次国家层面更加中观和微观地审视一个国家各级行政区划内部的教育治理，甚至细化研究一类教育类型的治理或者一所学校的治理。丛书围绕上述三个层面开展研究，力图完整清晰地展示全球教育治理的全貌及其基本特征，为教育研究者、教育工作者提供一个全面深入了解全球教育治理的窗口。

几年前，我在组织编写“教育智库与教育治理研究丛书”（共14册，湖北教育出版社2016年出版）的同时，就已经设想接着要向两头延伸，继续组织编写“全球教育治理研究系列”和另一套“全球教育智库研究丛书”，最终形成“教育智库与教育治理研究”的“三部曲”。为此，2016年编写出版第一套研究丛书后就以第一套丛书的部分作者为基础，本着五湖四海、众志成城的基本原则，在全国物色合适作者，在综合考虑研究能力与研究专长的基础上，最终确定了本丛书各册的写作者。与此同时，由湖北教育出版社牵头积极申报国家出版基金资助项目，“全球教育治理研究系列”成功获批

2017年度国家出版基金资助立项，使后续工作有了良好的开局。

“全球教育治理研究系列”共10册，具体如下：

1.《全球教育治理研究导论》（华中师范大学教授、博士生导师周洪宇，华中师范大学副教授付睿著）

2.《中国教育治理研究》（华中师范大学教授、博士生导师周洪宇，湖北大学教务处副处长、博士后李中伟，华中农业大学教授陈新忠著）

3.《美国教育治理研究》（华中师范大学教授戴伟芬，湖北幼儿师范高等专科学校学前教育系副主任李娜等著）

4.《英国教育治理研究》（浙江大学教授阚阅著）

5.《德国教育治理研究》（华中师范大学副教授岳伟著）

6.《日本教育治理研究》（湖北大学教授赵霞著）

7.《加拿大教育治理研究》（中南民族大学教授汪丞，加拿大布鲁克大学教授、博士生导师路春雷，加拿大布鲁克大学博士后荣文婷著）

8.《俄罗斯教育治理研究》（辽宁师范大学副教授乔桂娟著）

9.《印度教育治理研究》（华中师范大学教授、博士生导师王建梁著）

10.《南非教育治理研究》（华中师范大学副教授李先军著）

“全球教育治理研究系列”有总有分，总分结合，以分为主，由点到面，兼顾发达国家和欠发达国家，覆盖面尽量广一些。其中，《全球教育治理研究导论》主要从超国家层面研究全球教育治理的基本理论，以及重要的国际组织、知名智库、机构参与全球教育治理的理论及其实践，并对中国参与全球教育治理的情况进行梳理分析，试图从整体上建构全球教育治理的一般理论体系，为中国及其他行为主体参与全球教育治理提供理论和实践基础。其他各册以国家层面为主，同时兼顾次国家层面，对全球重要国家的国家教育治理理论及经验进行研究，指出对中国进行国家教育治理及参与全球教育治理的可借鉴之处及启示。

受湖北教育出版社委托，全套图书由我担任主编，提出研究思路，规划整体布局，拟定研究大纲，草拟写作体例，统审系列书稿。比较教育专家王建梁教授担任副主编，协助我联络作者，审改初稿，处理日常事务。我们希望未来在此基础上再组织一套以教育治理不同方面为重点的研究系列，与此套丛书相辅相成，相得益彰。在此，我代表丛书编委会向丛书的各位作者及编辑人员表达诚挚的敬意，向对此套丛书编写出版工作作出指导与提供支持的各界人士表示感谢。由于教育治理研究，尤其是全球教育治理研究，在国内才刚刚起步，基本上没有什么可供参考的论著，完全是靠我们自己的摸索，此套丛书不成熟之处在所难免，还请各位读者不吝指教。

周洪宇

2020年5月1日

目　录

第一章　南非教育概况

1994年以后，新南非政府进行了一系列的政治、经济、文化变革，经济得到较快的发展。在教育上，废除了维护种族隔离的教育法案，改变了传统的教育治理方式，形成了较为完整的教育体系，极大地促进了南非各级教育的发展。

第一节　发展历程

南非人民经历了较为漫长的被殖民和种族隔离的历史。1994年新南非政府成立后，致力于促进教育公平，南非的各级各类教育得到了较大发展。

一、社会经济概况

南非位于非洲大陆的南端，东南西三面为印度洋和大西洋所环绕，与纳米比亚、博茨瓦纳、津巴布韦、莫桑比克、斯威士兰、莱索托接壤，面积约122万平方千米，拥有铂、锰、黄金、铬等丰富的矿产资源。

早在一千多年前，非洲大陆已有科伊人、桑人、班图人在这里定居。随着航海技术的发展，17世纪中叶，欧洲殖民者开始入侵非洲南部。非洲原住民丧失了土地和社会发展的主导权。1652年，荷兰东印度公司占领了开普敦。1657年，荷兰殖民者开始侵入科伊人和桑人的土地。不少科伊人被赶到内陆，而桑人则在南非境内逐渐消失。18世纪末，英国殖民者来到南非，从荷兰人手中夺走开普敦殖民地。19世纪中叶，英国殖民者和布尔人（荷兰、法、德等国移民后裔）先后在南非建立了四个政治实体。1867—1886年，由于钻石和金矿的先后发现，来自世界各地的移民涌入南非，形成了以白人、黑人、亚裔（主要是印裔）和其他族群构成的多种族南非社会。1899—1902年，英国殖民者和布尔人为争夺殖民地的统治权，进行了长达3年的战争，称之为“布尔战争”。英国殖民者获胜，统一了南非。1910年5月，英国政府将开普、纳塔尔、德兰士瓦、奥兰治合并为南非联邦，以自治领地的身份加入英国。南非联邦各地的阿非利卡人（即布尔人）联合起来，成立一个统一的南非党。1910年9月，南非党击败英裔联邦党，于1911年11月成立了南非联合政府。1931年，英国议会通过了《威斯敏斯特法案》，给予南非主权国家地位。1961年，南非退出英联邦。

1994年4月，南非举行了全国不分种族的大选，曼德拉领导的南非人国民大会胜出。1994年5月10日，曼德拉宣誓就任总统，南非种族隔离时期结束。南非实行三权分立制，拥有三个首都，分别为行政首都比勒陀利亚（即中央政府所在地），司法首都布隆方丹（最高法院所在地），立法首都开普敦（国会所在地）。全国分为9个省，实行国家、省、地方三级管理。南非实行总统共和制。议会实行多数党执政的多党议会制，实行两院制，分为国民议会（National Assembly）和国家省级事务委员会（National Council of Provinces）。据世界银行统计，2016年，南非人口为55 908 865人，国内生产总值（GDP）为2 948.41亿美元。①

南非是“20国集团”成员国、“金砖国家”成员，是一个中等强国，在非洲地区，具有较强的影响力。2009年，中国成为非洲的第一大贸易伙伴，此后中国一直是非洲最大的贸易伙伴，南非又是中国在非洲的第一大贸易伙伴。中国对非洲的直接投资逐年增长，由1998年的8 800万美元，到2007年15.7亿美元，2016年非金融类直接投资流量更是高达33亿美元，同比增长14%。②2017年末，中国对南非投资累计已超过250亿美元。

近年来，南非与中国开展了更多的人文交流合作，两国在教育领域里的合作也与日俱增，如：中国政府和企业为南非免费培训了不少信息技术教师；

---

① 世界银行/南非[EB/OL]. http://data. worldbank. org. cn/country/south-africa?view=chart.

② 中华人民共和国商务部. 2016年中国对非洲投资数据统计[EB/OL]. http://www. mofcom. gov. cn/article/tongjiziliao/fuwzn/swfalv/201704/20170402557490. shtml.

南非基础教育部部长安吉·莫采卡一行于2014年2月24日至3月1日访华；2016年9月，中国国际文化与教育交流中心为南非教育部评价者进行汉语培训；2016年，中国驻南非大使馆为南非中小学捐赠了电脑、电子白板、中文教材等学习用品。[①]这些均受到了南非政府的欢迎。

二、新南非成立前的教育概况

南非实行种族隔离由来已久，在教育方面，长期施行黑人和白人分校的制度。最初，南非殖民者创办教育机构的目的，主要是培养一批忠于白人的翻译、传教士以及学校管理者。19世纪末，工业化的发展使得白人和黑人之间的竞争加剧。殖民当局开始限制南非黑人的受教育程度。1905年，开普当局颁布了《开普学校法》，在开普公立学校实行种族隔离制度。该制度在德兰士瓦、奥兰治自治邦和纳塔尔省也先后开始实施。不同种族的儿童在不同的学校就读。

为了确保白人的整体优势地位，必须解决白人的失业问题，而解决这一问题的关键在于提供种族隔离式的技术教育，以使得白人的技能供给与预期的劳动力需求相匹配。[②]1948年，南非国民党政府上台后，颁布了一系列的种族隔离法律。1948年以后，南非政府共颁布了50多项种族隔离制度，根据肤色和种族进行统治。非白人不能进入白人的专用场所，不能进入白人学校就读，不能使用白人乘坐的交通工具。20世纪50年代，南非政府提出了“班图斯坦”政策，规定南非黑人必须居住在规定的地区，实行种族隔离。教育必须立足于本地区，黑人的教育政策和拨款由议会决定。1953年，南非政府颁布了《班图教育法》（The Bantu Education Act of 1953），规定了不同种族的人接受不同的教育。该法规定：自本政府公告规定之日起，除政府开设的班图人公立学校外，任何人未经批准，不得开设、经营、维持土著人或班图人学校。任何此类学校开办的申请，如果根据土著人事务委员会的意

① Department of Basic Education（DBE）. Annual Report 2016/2017[R]. Pretoria：DBE，2017：69.

② 刘兰．南非种族隔离时期的教育制度与种族分层劳动力市场的形成[J]. 世界民族，2016（2）：102-110.

见和建议，认定学校的开办或继续存在损害了班图的利益，或将对在校或打算就读学生的身心、道德发展造成伤害，教育部将会予以拒绝。[①]违反这一规定属于违法行为，将会被罚款或判刑。

1959年颁布的《扩充大学教育法》（The Extension of University Act of 1959）规定建立非白人的大专院校，除南非大学和纳塔尔医学院外，白人大学禁止招收黑人学生。

南非当局规定黑人必须居住在南非政府划定的10个黑人家园里面，实行严格的种族隔离措施。这导致南非黑人与白人之间的收入存在巨大差距。20世纪70年代末，南非人均国民收入为1 250兰特，白人的人均国民收入相当于平均收入的2.64倍，为3 300兰特，而占南非人口多数的10个黑人家园的黑人居民的人均国民收入仅为360兰特。[②]

在生均教育经费上，白人与黑人也存在着显著差异。1979年，南非政府用于每个白人学生的开支为724兰特，印裔学生为357兰特，有色人种学生为225兰特，而黑人学生只有71兰特。也就是说，白人学生的人均教育开支是黑人学生的10倍以上，与1930—1945年间黑人学生与白人学生之间差距基本相同。[③]

南非政府为不同种族和地区的各类人群设立了不同的教育管理机构。南非当局主管教育的机构多达15个。在全国设有一个负责协调各种族教育的教育部。白人议会成立的教育与文化部主管白人教育，白人地区的黑人教育由教育与培训部管辖，有色人种和亚裔教育则分别由其各自议会领导下的教育与文化部管辖。4个“独立”的“黑人家园”和6个未独立的“黑人家园”各成立一个教育部。不同种族的学生享有不同的教育资源，教学组织形式和内容也存在着较大差异。

---

① Union of South Africa. The Bantu Education Act[M]. Government Publishing，1953：265-266. http://www. sahistory. org. za/sites/default/files/DC/leg19531009. 028. 020. 047/leg19531009. 028. 020. 047. pdf.

② 李安山．世界现代化历程：非洲卷[M]．南京：江苏人民出版社，2013：670.

③ 刘兰．南非种族隔离时期的教育制度与种族分层劳动力市场的形成[J]．世界民族．2016（2）：102-110.

种族隔离制度的存在，使得南非黑人和白人的教育呈现出两种完全不同的面貌。黑人学校设施短缺，缺少合格教师，教材编写贯彻白人至上主义，根本不讲17世纪中叶以前的历史。所有的教材都由中央和省教育行政部门审定，以维护执政党的统治利益。

南非当局以传承本民族文化和保持本民族身份为由，要求班图教育体系中的8年小学教育完全采用部族语言进行教学，进入中学之后，却又突然转换到用英语和阿非利卡语教学的课程各占一半的模式。[①]这增加了黑人学生的学习难度，降低了他们学习成功的可能性。

与一般白人家庭相比，黑人学生欲进入高一级学校就读，需要缴纳更加高昂的学费。这使得南非黑人进入高等教育机构的比例很少。20世纪70年代，南非有25.6%的白人达到十年级学业水平，而黑人达到十年级学业水平的比例在城市地区仅为0.6%；农村地区更低，仅有0.2%。在这一时期，南非只有2.8%的白人没有完成六年级小学学业，白人的文盲率仅为1.1%。相比之下，城市地区的黑人有78.6%、黑人家园则有93.4%未完成六年级小学学业，城市地区黑人的文盲率为34.8%，而在黑人家园则高达63.4%。到1970年，白人孩子的中学入学率达到90%，而黑人孩子的中学入学率只有16%。[②]

由于国际社会对种族隔离政府的经济制裁，以及国内非洲人国民大会（简称非国大）和黑人群众运动的兴起，南非政府陷入了内政外交困境。1990年，南非总统德克勒克（Frederik Willem de Klerk）提出，取消对非国大、泛非大和南非共产党等组织的禁令，释放被关押的各种政治犯，无条件地释放了黑人领袖纳尔逊·曼德拉。1992—1994年，南非白人政府与曼德拉领导的政治团体进行了艰苦的谈判，就南非未来的国家架构做出了具体的政治安排，最终就南非未来发展达成共识，即建立一个不分种族、无性别歧视，民主、平等的新南非。1993年12月，南非议会通过了《过渡宪法法案》，

---

① 王琳璞，毛锡龙，张屹．南非教育战略研究[M]．杭州：浙江教育出版社，2014：17.

② 刘兰．南非种族隔离时期的教育制度与种族分层劳动力市场的形成[J]．世界民族．2016（2）：102-110.

为南非的平稳过渡创造了条件。1994年4月27日，南非进行了第一次全民选举，非国大获得了63%的选票，国民党获得了20%的选票，因卡塔自由党获得了10.7%的选票。非国大主席曼德拉当选为新南非第一任总统。

自此，黑人获得了国家统治权，白人丧失了特权，仅拥有合法公民权。从此，南非形成了国家统一领导、地方自治以及各部门协同治理的体制。

三、新南非成立后的教育概况

在新南非成立后，南非经济发展缓慢，直到2001年，南非经济才得以复苏，成为“金砖国家”的成员之一。

新南非成立之后，为了更好地促进民族和解，对政治、经济和文化进行了重新改造。南非种族隔离政府遗留下来的教育问题主要是管理条块分割。课程教学内容充满种族歧视，教学语言为英语和阿非利卡语，排斥土著语。教育改造的目的，在于追求民族国家建构和非洲文化认同。在课程设置和教学内容上，确立以非洲语言为核心的本土知识和情感的教育，改变种族隔离时期以英国文化和欧洲文化学习为主的状况，强调对非洲史的学习。通过教育改革，废除种族隔离的教育制度和法律，实现教育公平和教育民主，重塑南非人精神，加强对西方技术本土化改造。改革是重新分配教育资源的过程。在新南非，教育治理的重点是在分配资源的过程中，确保弱势群体获得相应的补偿，使他们获得教育的起点公平。

针对不同种族之间教育存在巨大差距的现状，南非政府首先从法律和政策上扫除种族隔离制度，要求对所有学生的教育一律平等。1996年颁布的《南非共和国宪法》（Constitution of the Republic of South Africa，以下简称《宪法》）规定，“每一个人都享有包括成人基础教育在内的基础教育权利，而且国家必须通过各种合理措施来不断推动人民享有继续教育与培训（即学校的十至十二年级阶段）的权利”。1996年颁布的《南非学校法》（South African Schools Act）确定了九年义务教育制度。由于各学校在教学环境、设备、师资等方面存在着较大差异，南非政府最初的教育治理，更倾向于促进基础教育均衡发展，促进教育公平，通过逐步实现免费学校计划，使贫困家庭的孩子能够免费入学。

在种族隔离时期，白人通过教育，获得了较高学历，掌握了较高技术。他们不需要通过白人统治者的支持，就可以在就业市场中取得优越地位。新南非成立后，政府通过教育改革来消除这种不平等。

南非的教育治理带有浓厚的南非文化特色，南非政治制度实行三权分立，重视对政府权力的监督。这促使南非政府重视信息的透明度。南非的公众监督机制比较健全，各利益集团的利益在体制内有伸张正义的管道，民意有比较畅通的表达途径，有利于避免民主体制的倒退或政治动荡。对现有体制的认同度和对国家的自豪感，在国民中占主流。① 依法治理、中央和地方合作治理、提倡家长参与等，构成了南非教育治理文化的传统。

第二节　教育体系

经过多年的发展，南非形成了从学前到高等教育较为完善的教育体系，教育经费的投入不断增加，教育的规模不断扩大。

一、教育结构体系

南非的教育行政管理分为中央、省、学区（districts）或地区（region）三级。中央设立教育部，负责统筹全国的教育。各省设立教育厅，负责制定本省的教育政策，具体管理初中等教育、中等技术学校和教育学院。各省下面分为若干学区。公立中小学校管理机构，由家长、教师、教学管理人员以及学生代表组成。高校实行自治，由中央政府管辖。中央和地方实行合作型管理模式。各省被赋予更多的自由和权力。这既能充分调动地方的积极性，也能发挥中央的主导作用。教育部与各省教育执行委员会组成教育部长委员会；教育部所属各局教育局长与各省教育厅长组成教育行政主管部门负责人委员会。两个委员会通过定期或不定期的会议，以协调国家与各省之间的教

① 李安山，钱乘旦. 世界现代化历程：非洲卷[M]. 南京：江苏人民出版社，2013：718.

育政策。

南非政府将教育发展摆在优先地位。1994年，南非政府发布了《重建与发展计划》（The Reconstruction and Development Programme，RDP）白皮书，将教育作为种族和解的主要途径，教育重建成为政府主要的工作任务之一。同时，以种族平等、性别平等、补偿为原则，对学校教育的课程、教科书进行改革。白皮书规定对全民实行十年义务教育，学生在十年义务教育毕业后可以获得普通教育与培训证书，将教育与培训合为一体。1996年《南非学校法》规定，学校教育包含R年级（即学前预备阶段）到十二年级，共13年，其中一至九年级被称为义务教育阶段或者普通教育阶段。2001年4月，南非教育部和劳动部共同制定了“南非人力资源发展战略”，强调普通教育是实现人力资源开发的基础，将实现九年义务教育作为战略指标。

南非教育经过多年的发展，形成了从学前到高等教育较为完善的教育体系（见表1-1），具体分为三个部分：普通教育与培训体系、继续教育与培训体系、高等教育与培训体系。各级教育与国家资格框架相对应。整个教育体系分为四个阶段，学前阶段至三年级；中级阶段，四至六年级；高级阶段，七至九年级；继续教育与培训阶段，十至十二年级。学生接受一年的学前教育（学前班）。一至六年级为小学，七至九年级为初中。6岁上学前班，7岁上小学一年级，初中毕业后可以获得普通教育与培训证书，属于国家资格的第1级。在义务教育阶段后，教育实行分流，分为学术教育和技术教育。初中毕业后对学生进行分流，一部分学生进入普通高中学习，另一部分学生进入职业高中学习，由继续教育与培训学院实施，包括技术学院、社区学院和私立学院。高中学制三年，为十至十二年级。学生参加高中毕业考试合格后，可获得国家高级证书。继续教育与培训学院为职高学生提供国家资格框架中的资格水平2、3、4级的国家证书（职业方向）。普通高中毕业生可通过考试进入大学接受高等教育。高等教育对应国家资格5—10级，其中5—7级为本科生，8—10级为研究生。

同时，南非还存在着大量的独立学校。

表 1-1　南非学制[①]

<table>
<tr><td>学前</td><td colspan="5">R 年级（6 岁）</td><td colspan="2">学前教育阶段</td><td></td><td rowspan="4">普通教育与培训阶段</td><td>学徒</td><td>工人</td><td>成人</td></tr>
<tr><td>初小</td><td colspan="5">一至三年级（7—9 岁）</td><td colspan="2" rowspan="3">义务教育阶段</td><td>基础阶段</td><td rowspan="8">技能</td><td rowspan="8">学习教育</td><td rowspan="8">教育与培训</td></tr>
<tr><td>高小</td><td colspan="5">四至六年级（10—12 岁）</td><td>中级阶段</td></tr>
<tr><td>初中</td><td colspan="5">七至九年级（13—15 岁）</td><td>高级阶段</td></tr>
<tr><td>高中</td><td colspan="2">十至十二年级（16—18 岁）</td><td colspan="3">职业技术教育</td><td colspan="2">职业基础教育毕业证书</td><td>3 年</td><td>继续教育与培训阶段</td></tr>
<tr><td rowspan="4">大学</td><td>学士</td><td>3 年</td><td rowspan="4">技术学院</td><td>毕业证书</td><td>3 年</td><td rowspan="4">教育学院</td><td rowspan="4">毕业证书</td><td rowspan="4">3 年</td><td rowspan="4">高等教育阶段</td></tr>
<tr><td>荣誉学士</td><td>1 年</td><td>技术学士</td><td>1 年</td></tr>
<tr><td>硕士</td><td>1 年</td><td>技术硕士</td><td>1 年</td></tr>
<tr><td>博士</td><td>2 年</td><td>技术博士</td><td>2 年</td></tr>
</table>

二、教育规模

南非现有公立大学23所，其中普通大学11所，综合性大学和科技大学各6所，还有100多所私立高等教育机构。学生在高等院校学习2—3年可以获得高等证书。学士学位修读3—6年，在获得学士学位后，修习1年，完成论文后获得荣誉学位，才能获得攻读硕士学位的资格。再继续攻读1—2年，可获得硕士学位。获得硕士学位后至少学习2年，可获得博士学位。

① 王桂娟．南非学前教育管理体系研究[D]．杭州：浙江师范大学，2014：21．王琳璞，毛锡龙，张屹．南非教育战略研究[M]．杭州：浙江教育出版社．2014：109．

南非在非国大的领导下，在教育方面取得了长足进步，教育规模不断扩大。2000年以来，南非初等教育的毛入学率约为100%，中等教育的毛入学率也超过了80%。20岁南非人的受教育水平从1995年的平均9.5年级升高到2009年的11.2年级，与十二年级（高中毕业）相差无几。①

2017年，南非统计局颁布了2016年南非教育统计数据。2016年，南非公共教育支出占国内生产总值（GDP）的5.9%。从1996年到2016年，完成中等教育和高等教育的人数由370万增长到1 160万，20年来增长211%。②2015年接受学前教育的人数为2 059 000人，360万15岁以上的学生完成高等教育。15岁以上学生的毕业率在豪登省最高，为59.9%；北开普省最低，为47.6%。在职业技术教育与培训资格证持有者中，最受欢迎的研究领域是管理和工程，这两个领域的毕业生人数占总人数的近1/3左右；农业领域的毕业生比例最低，为1.0%。具有计算机和信息科学资格的大学毕业生大多年龄为20—34岁，占51.8%；而数学和统计学毕业生年龄在35岁及以上，占63.4%。科学领域主要由白人主导，白人毕业生在生命科学领域占48.4%，在物理科学领域占49.6%，在数学和统计学领域占47%。白人受教育的比例为黑人的3.678倍。2016年，南非人的平均受教育年限为10.5年，黑人平均为8.3年，而白人平均为11.4年。

2018年3月，南非基础教育部发布了2017年中小学校的统计数据。③2017年，南非的普通公立和私立学校（以下统称为普通学校）共有25 762所，在校学生共有12 892 273名，教师433 320人。在普通学校中，学校和教育工作者数量最多的省份是夸祖鲁－纳塔尔省，数量最少的省份则是北开普省。大多数私立学校位于豪登省，有860所，其次是西开普省，有268所。

2017年，基础教育阶段学生占全国普通学校的学生比例最高，为33.3%，

---

① 王琳璞，毛锡龙，张屹．南非教育战略研究［M］．杭州：浙江教育出版社，2014：77.

② Education Series Volume Ⅲ：Educational Enrolment and Achievement，2016［R］. Statistics South Africa，2017：8.

③ School realities 2016 Final［R］. DBE publishing，Department of Basic Education，2017［EB/OL］. https://www. education. gov. za/Portals/0/Documents/Reports/School%20Realities%202017. pdf?ver=2018-03-02-151206-777.

其次是中等教育阶段和高等教育阶段，分别为24.5%和21.6%。学生入学率随着年级的增高而降低，一年级学生人数占在校学生总数比例最高，为9.2%，十二年级降低至5.1%。据统计，从2015年至2017年，几乎所有省份的学生人数都得到增长，全国学生人数增加了0.6%，教师和学校的数量分别增长了4.1%和0.3%。

三、经济状况与教育经费

当前南非在经济领域所取得的成绩有目共睹，同时也存在着诸多问题。2015年9月，南非政府于行政首都比勒陀利亚发布的《2014年发展指标报告》显示，南非GDP增长与目标相距甚远，失业率依然堪忧。报告数据显示，南非过去10年内GDP平均增长3.7%，2014年GDP增长仅为1.5%。而南非《国家发展规划2030：行动走向未来》（National Development Plan 2030：Our Future−Make it work，以下简称《国家发展规划2030》）中对于GDP增长所设定的目标为5.4%。

与此同时，南非的失业率数据也不容乐观。报告显示，南非有1/4适龄工作人口处于失业状态。2014年，南非青年失业率峰值在15—24岁年龄层达48.8%、25—34岁年龄层达29.6%。南非的贫困率及贫富分化程度在国际上也处于较不乐观的水平。南非的基尼系数从1995年的0.64增长至2005年的0.67，在2010年降低至0.65，随后数年稍有改善。数据显示，当前南非平均每100户家庭中就有45户生活在贫困线下。其中，林波波省及东开普省的贫困率最高，分别为63.8%和60.8%；豪登省及西开普省则最低，分别为22.9%和24.7%。

但报告同时显示，南非的社会救助项目覆盖人数大有提升，从1994年的270万人，增长至2014年的1 200万人。南非人平均寿命从2004年的52.7岁增长至2014年的61.2岁。婴儿死亡率也从2002年的5.8%降低至2014年的3.4%；幼儿（低于5岁）死亡率从8.5%降低至4.4%。国民受教育程度在提高，从2002年的73%提升至84%。5岁孩童入学率也从2002年的39%提升至87%。在旅游业方面，2013年南非有1 500万国际游客，约为2005年的两倍。

2013年旅游业为GDP贡献930亿兰特，是2005年450亿兰特的两倍多。①

南非政府非常重视教育及其他民生的支出。南非是世界上教育公共投资率最高的国家之一。教育经费支出常年占国民生产总值的7%左右。政府对教育的投入高于其他任何领域。2009至2010年度政府财政预算开支中，用于民生项目的开支占到54%，分别是教育占18%、社会保障占15%、卫生占11%、住房和社区环境占10%。②

2018年3月，南非财政部公布了未来3年的拨款计划，为高等教育和培训提供的拨款为3 240亿兰特，为免费高等教育和培训提供的拨款为5 770亿兰特，为基础教育提供的拨款为7 920亿兰特，包括基础设施350亿兰特。③

四、教育宏观政策

南非义务教育的质量欠佳，特别是偏远地区因合格教师缺乏，仅有50%的儿童能完成高中学业，12%的学生能有机会进入大学学习，大量年轻人缺乏专业知识或技能，在职场上缺乏竞争力，前途暗淡。为此，南非近年来提出要提高教学质量，资助师范生充实教师队伍。2011年10月，南非基础教育部颁布了《2014行动计划：面向2025年的学校教育》（以下简称《2014行动计划》），提出要采取措施，吸引充满教育激情，且经过适当培训的人加入教师队伍；要确保提升教师数量，进行合理配置，减少大班额；促进教师在其整个职业生涯中的专业发展，提升教学技能、专业知识和计算机素养；提高教师职业的满意度，促进教师队伍的健康发展。

尽管经过了经济结构的调整，南非对黑人采取了各项促进平等的支持政策，但南非社会仍然贫富分化严重。不同种族和地区的公民在语言、文化、教育水平方面存在着巨大差异。

语言问题是困扰着南非教育治理的一个突出问题。在种族隔离时期，由

① 南非发布最新发展指标报告：人均寿命延长8年，失业率仍然堪忧[EB/OL]. http://world. people. com. cn/n/2015/0921/c1002-27615860. html.

② 李安山，钱乘旦．世界现代化历程：非洲卷[M]. 南京：江苏人民出版社，2013：711.

③ Republic of South Africa National Treasury. Budget Review 2018[EB/OL]. http://www. treasury. gov. za/documents/national%20budget/2018/review/FullBR. pdf.

于南非部族众多，缺乏统一的非洲民族语言，英语和阿非利卡语便成为了官方语言。新南非成立后，规定了11种官方语言，但不少家长为了孩子在未来就业中占据有利位置，都希望自己的孩子进入使用英语教学的学校，由于同时掌握本地语言和英语双语的小学教师数量不足，导致基础阶段教育质量严重下降。这是南非教育改革所面临的现实困境。

南非饱受艾滋病的折磨。据2010年统计，南非有近43万15岁以下儿童患艾滋病，患病率最高的省高达4.1%。[①]针对艾滋病，南非政府也启动了诸多援助项目。如1999年颁布了《国家针对教师和学生的HIV/AIDS政策：公立学校和继续教育与培训机构》，要求通过教授HIV/AIDS的相关知识，为患病儿童传授相关生活技能，来有效防止病情蔓延。《艾滋病和性病防治国家战略计划》构建了包括预防、治疗、保育、支持和监控为框架的一整套体系。政府将教育作为遏制艾滋病发展的一个重要手段。通过教育，减少了代际贫困循环。

2015年4月，为应对南非青年面临的挑战，满足其需求，开发其潜力，南非政府发布了《国家青年政策（2015—2020）》。政策提出的干预措施，旨在提高他们个人发展和助力国家经济社会发展的能力，目的在于建立富强、民主、性别平等、种族平等的社会。教育是青年人发展和实现其潜力的手段。该政策建立在2009—2014年的政策基础之上，但以往的发展战略并未获得省级部门的合作，因而实施效果不佳。新的五年计划要求通过社会各部门包括私营部门的多方合作，明确地实施干预措施，向青年提供职业信息和指导，完成教育的第二次机会，获得培训和技能的替代途径以及向高等教育过渡所需的支持。

南非政府要求将本土知识融入学校教育当中。而现有西方培养的知识分子与政治家，多是在西式教育系统中培训出来的，他们陷入其中而不自知，可能会排斥非洲本土知识进入课堂。这需要教育改革者对此具有清醒的认识，找到一条适合南非教育实际的治理之路。

2008年，席卷世界的金融危机也严重影响了南非经济发展。南非政府加

---

① 王桂娟．南非学前教育管理体系研究[D]．杭州：浙江师范大学，2014：19.

大投资力度以提高工业化水平，提高南非产品的国际竞争力。为此，南非政府更注重提高劳动力的知识技术水平，以促进经济的可持续发展，并向知识型经济转变。2009年9月，南非政府公布了《国家战略计划》绿皮书。在经过大量的调研和3年征询公众意见的基础上，南非于2012年8月颁布了《国家发展规划2030》，该计划旨在进一步改造种族隔离对南非经济结构造成的影响，制定全国以及各省的总体发展框架，发展基础设施，促进南非经济社会平衡发展，消除贫困、降低不平等、扩大就业，提高低收入人群的经济收入。该计划对教育也提出了诸多构想。①

为了更好地实施《国家发展规划2030》，南非政府提出了“帕基萨行动计划”。帕基萨在南非索托语中意思为“赶快”，意味着强调政府行动的紧迫性，它在一个优先发展项目中起着重要作用。该计划被用来解决南非在发展过程中的问题，如不平等、贫穷、失业等突出问题。该计划旨在采取创新和探索性的方法，通过具体的服务和合作，将详细的计划转化为具体的成果，使优先项目执行得更好、更快、更有效。该方法是以结果驱动的方法，设计清晰的计划和目标，持续地监控实施过程，最后使结果公开。该方法包括8个连续的步骤，集中使利益攸关者，无论是公立的还是私立的部门，学术的和民间组织，在以下几个方面携手合作：详细的问题分析、优先设定、干预计划、服务提供。②

---

① National Development Plan 2030：Our Future—Make it Work［EB/OL］. https://www. brandsouthafrica. com/wp_download_viewer. php?file=wp-content/uploads/brandsa/2015/05/02_NDP_in_full. pdf.

② Operationphakisa［EB/OL］. http://www. operationphakisa. gov. za/Pages/Home. aspx.

第二章　南非教育治理的兴起及其动因

在曼德拉和德克勒克等人的领导下，南非初步实现了种族和解，开启了南非发展的新时代。这是人类社会中少有的、不经过大规模的暴力革命而完成的政权更替，体现了人类文明中高超的政治智慧。但是，南非种族隔离制度废除后，遗留下来的南非教育体系仍然具有鲜明的种族隔离特征。为了确保种族平等得以实现，建立一个民族平等、民主、自由的新南非，就需要对南非的教育体系进行重构：从整个教育体制上消除种族隔离的影响，构建一个平等而高效的、符合国际潮流和南非特色的新的教育体系。

第一节　教育治理兴起背景

新南非成立之初，教育面临着巨大困境，需要通过成功的教育改革来树立国际形象。南非社会存在的各种问题，也反映在种族隔离时期的教育体系之中。在新政府认识到教育变革的重要意义之后，教育治理便成为紧迫议题。为了促进教育民主化，提高教育质量，新南非开启了教育改革。在国内外政治经济的影响下，新南非对种族隔离时代存在的各种教育问题予以纠偏。如由于种族隔离所带来的教育发展不平衡、不同种族之间教育差异巨大、教育体系的分割等问题。

一、时代背景

（一）国内政治背景

南非的种族隔离制度由来已久。自17世纪南非开普敦被荷兰人殖民之后，南非种族不平等的社会便建立起来。最初，荷兰人建立了一种奴隶制度，向黑人灌输奴隶意识，颁布了各种歧视性的法令，剥削和压迫黑人，以维护自己的统治。1685年，开普殖民当局开始采取种族隔离的措施，颁布了一些歧视性的法令，比如禁止白人与黑人通婚等。[①]1795年，英国舰队在开普敦登陆。自此英国开始了与布尔人长达百年的冲突。经过1899—1902年的布尔战争，英国殖民者打败荷兰人后，统治南非并继续实施种族隔离制度，并颁布了更多带有歧视性的强化种族隔离的法律。

种族隔离制度是南非政府统治的基础。它保持了少数白人对人口占大多数的黑人的统治，还保护了白人所认为的文化和种族的纯洁性。种族隔离也不是将黑人完全排除在外，相反，它需要黑人的合作，使黑人能心甘情愿地接受奴役和剥削，从而维护统治的稳固。

1948年，南非国民党在统治确立后，不断加强种族隔离制度，隔离的程度不断加深。南非种族隔离对象是黑人、有色人种、亚裔，白人占统治地位，黑人、有色人种和亚裔地位低下。新南非除了延续以往的种族隔离做法外，还先后颁布了一系列的种族隔离的法案，如《禁止通婚法》（1949）、《人口登记法》（1950）和《种族区域法》（1950）、《独立设施法案》（1953）、《班图自治法》（1959）等。这些法案限制了非洲人的迁徙自由，剥夺了他们平等受教育权。

这些措施激起了南非人的激烈反抗。曼德拉一直致力于民族解放事业，曾多次发表演讲，公开宣布反抗南非种族隔离制度。此举遭到了南非政府的暴力回应，1964年南非政府以“企图用暴力推翻政府罪”判处曼德拉终身监禁。此后，南非人开始了非暴力不合作反对种族隔离的斗争。20世纪70年代以后，国际社会对南非政府进行全面的经济制裁。南非经济在很大程度上依赖于出口金矿和钻石等矿产，制裁导致外资撤离，外债剧增。南非经济受到严重打击，陷入恶性循环。这必然导致政局不稳。政治不稳定导致资本外流和外汇储备缺乏，而资金缺乏进一步恶化了经济形势。经济下滑导致失业人口不断上升，民众生活水平下降，民众经济困难又加剧了政局的不稳。这一切对南非政权及白人社会，在政治上和心理上都构成巨大压力，成为促进

---

① 沐涛．南非对外关系研究［M］．上海：华东师范大学出版社，2003：46.

白人改革种族隔离制度的重要推动力。[①]

虽然长期实行种族隔离制度，但南非黑人在整个非洲的受教育程度，却是最好的，而且享受的医疗条件也是最好的。

南非政府将黑人家园中大多数黑人移居到落后的地区，建立傀儡政权，让他们获得表面上的“独立”。而居住在该地区的白人仍然享受着政治经济特权。南非扶植成立了4个班图斯坦共和国，分别是文达、希斯凯、川斯凯与波布纳，但它们都没有获得国际承认。在国内外的压力下，南非政府不得不进行有限的改革。1983年，南非政府允许印裔和有色人种进入议会，但仍排斥黑人参政。1984年，黑人城镇进行了大规模的罢工、示威游行、抵制白人商品等运动，一直持续了两年。1986年，南非政府被迫废除了《居住证法》和《人口流动控制法》。20世纪80年代末，全世界140多个国家和南非断绝了外交关系。由于国际上的制裁，国内经济连续下滑，加之南非政府因为对纳米比亚和安哥拉的武装干涉付出了高昂代价，南非经济处于崩溃的边缘。在此背景下，白人中涌现出以南非国民党主席德克勒克为代表的改革派，要求政府对南非社会政策进行重大变革。

1989年，南非总统博塔因病辞职，德克勒克继任总统。此后，政府加快了政治改革的步伐。次年2月，德克勒克宣布解禁非国大、南非共产党等政治组织，解除对民主阵线、工会等33个群众组织的限制，并释放了包括曼德拉在内的一些黑人反对组织的领导人。他提出要废除种族隔离制度，建立一个民主的新南非。此后，南非国民党和非国大、南非共产党等政治组织成立了“民主南非大会”。各政治组织进行了多轮谈判和协商，最终就实现种族和解、民族平等达成了最后协议，确定在1994年4月举行首次不分种族、一人一票的全国大选。

1994年，南非首次举行多种族的大选。非国大赢得大选。南非国民党统治结束。非国大上台后，需要转变角色，完成由革命党向执政者的转变。400名议员和90名参议员开始了制宪工作。在历时两年的紧张制宪过程中，

① 刘兰．国际社会对南非的经济制裁及影响[J]．德州学院学报，2016（1）：88-92.

制宪会议采取了民主论坛的形式，在广泛听取各方意见和建议的基础上，最终于1996年5月初完成了新《宪法》的起草工作。尽管南非第三大党因卡塔自由党对制宪工作采取了抵制立场，但南非制宪会议还是通过了《南非共和国宪法法案》。南非宪法法院12月4日批准《新宪法》，12月10日，总统曼德拉正式签字后，新《宪法》的一些条款开始实施。[①]1997年2月3日，南非永久《宪法》正式生效。

《宪法》序言中阐明了制宪原则：弥合过去的分歧，并建立一个基于民主价值、社会公正和保障基本人权的社会；为民主、开放的社会奠定基础，其中政府根据人民意愿行事，公民平等受到法律保护；提高全体人民的生活质量，发挥每个公民的潜力；建立一个团结与民主的南非，使其能够在国际大家庭中获得作为一个主权国家的恰当地位。[②]

《宪法》指出了南非共和国所珍视的价值观：人的尊严、平等的实现、人权和自由的进步；非种族主义和消除性别歧视；宪法至上与法治；成人普选，全民普选，定期选举组成多党民主政府，以确保责任到位。[③]

《宪法》也规定了一些基本的原则，如国家统一原则，保障人权、保护少数人的利益，实行权力的监督和制衡等。

1995年11月和1996年5月、6月，南非9个省先后举行了地方选举。非国大获得了7个省的控制权，国民党和因卡塔自由党则分别在西开普和夸祖鲁－纳塔尔两个省取胜。

正如南非资格局在报告中指出，当一个新政府上台，在发现它已经在国际竞争中落后于其他国家时，这个国家的政治家往往会把教育改革作为他们拉票的工具，质疑“学校教什么”和“如何教”这一合法性问题。[④]民主制度的实施，也需要通过教育培养来维护现存制度。进行教育改革，便成为政

---

① 曾强，赵金富．南非当前的内外局势[J]．现代国际关系，1997（12）：26-28.

② Constitution of the Republic of South Africa，1996-Preamble[EB/OL]. http://www. gov. za/documents/constitution-republic-south-africa-1996-preamble.

③ Constitution of the Republic of South Africa，1996-Chapter 1：Founding Provisions[EB/OL]. http://www. gov. za/documents/constitution/chapter-1-founding-provisions.

④ 张军．以结果为本位：转型期的南非基础教育课程政策变革研究[D]．宁波：宁波大学，2008：20.

治正确的事情。教育在民族和解和社会发展中具有重要作用。由于南非的民族和解仍任重道远，这要求学生具有国际视野，能够全面发展。通过教育来改变国家和世界，便成为政治家的不二选择。

（二）国内经济背景

在种族隔离时期，为了加强对黑人劳工的控制，1911年，联邦政府制定了两个针对非洲人的劳工法，即《土著劳工管理法》和《矿山和工厂法》。前者为了防止矿工流失，规定中断合同是违法行为，后者规定了只允许白人从事技术工作，限制黑人掌握高端技术。在教育与培训上，黑人也难以接受适当的培训，他们只能从事低水平的体力劳动。白人掌握了国家的行政资源，而黑人获得的仅仅只是维持基本生活需要的收入。1952年颁布的《土著人法》，则实行更严格的通行证法。它要求所有16岁以上的非洲人都必须携带通行证，以备盘查。

在20世纪70—80年代，南非经济的发展对技术工人的需求不断增加，白人技术工人已经不能满足需要，因而为白人保留的工种不得不向黑人开放，这需要进行教育改革，以培养更多的黑人技术工人。但在20世纪80年代后期，南非政府对黑人反抗运动的镇压，使得南非在国际社会受到空前孤立。在西欧和北美都兴起了声势浩大的支援活动，要求本国政府切断与南非政府的政治经济联系。这导致南非经济出现前所未有的困境。

南非政府由于种族隔离招致国际社会的制裁，以及南非的对外战争，导致南非经济处于崩溃的边缘。在新南非成立之初，南非的失业率超过50%。非国大上台后，南非的经济形势有所好转，失业率降至30%。但问题仍然较为严重。多数经济分析家认为，南非经济的年增长率必须达到6%才能逐步解决严重的失业问题。但是，南非的经济增长速度远达不到这个水平。由于失业问题严重，南非的刑事犯罪呈大幅度上升的势头。这不仅严重影响治安稳定，而且对吸引外资也产生消极作用。[①]

种族隔离制度的废除，只是让黑人和白人获得了同等的政治权利，但他们之间的社会地位、经济地位差距依然巨大。南非黑人受教育程度太低，收

① 曾强，赵金富．南非当前的内外局势[J]．现代国际关系，1997（12）：26-28.

入的水平也很低，这需要通过教育改变南非黑人的弱势地位。而且只有占人口绝大多数的黑人能接受到良好教育，才可能创造南非经济的持久繁荣。

非国大执政后，开始实施其在大选前提出的《重建与发展计划》，以纠正不合理的经济结构和不公平的分配体制。[①]具体做法是加大对公共部门的投资，扩大政府的支出，通过转移支付以扩大经济的增长，推动就业问题的解决。该计划提出，教育与培训是解决种族不平等、经济所面临突出问题的一种手段。

《重建与发展计划》规定：其一，国家人力资源战略以民主、没有种族和性别歧视、平等、纠正为原则，以致力于公民终身学习为目标。教育与培训应成为一体。其二，教育与培训应该与国家资格认证框架结合在一起。国家资格认证框架应是一个实现教育与培训制度重建的基本途径。它必须修改教学大纲，设置新的课程，严格审定教科书，规定和掌握合格的标准，提高学习质量。过去的中学教育重点在应试教育上，主要是为了考大学，课程设置无视大多数黑人学生毕业后的就业需要，这种状况要改变。其三，要进行十年（R—九年级）义务教育，改变以往只有白人享受的小学七年、中学五年的义务教育制，学生在十年义务教育后获普通教育与培训证书；义务教育后实行学术教育与技术教育分流制。该阶段学制三年（十—十二年级）。学生毕业后获继续教育与培训证书。其四，种族隔离制度下被忽视的职业技术教育应该得到特别重视；幼儿教育、成人基础教育、女子教育问题都应受到重视。其五，应对继续教育与培训、高等教育、师资培训等问题重新设计，鼓励发展远距离教育和成人教育。[②]

由于政府资金不足，加之外国投资者对该计划充满疑虑，故导致投资资金不足，使该计划难以得到有效实施。1996年6月14日，曼德拉政府提出了新的发展战略，即“增长、就业和再分配——宏观经济战略”。该战略以促进经济发展为优先目标，力争在2000年前使经济增长率达到6%。

---

① The Reconstruction and Development Programme （RDP）[EB/OL]. https://omalley.nelsonmandela. org/omalley/index. php/site/q/03lv02039/04lv02103/05lv02120/06lv02126. html.

② 张军 . 以结果为本位：转型期的南非基础教育课程政策变革研究[D]. 宁波：宁波大学，2008：21.

（三）国际背景

南非在反种族隔离运动的压力下，于1991年开始就实施学校对所有儿童开放的政策。然而，这并不会带来种族隔离的必然消除。黑人学生由于各种原因不能上白人的学校；白人学生也不愿意去上黑人学生为主体的学校。这需要政府采取措施来促进学校生源的多元化，增进白人和黑人师生的融合。一方面应激励白人教师到黑人学校去工作；另一方面也应该加强对黑人教师的培训，增加他们的自信，使他们胜任白人学校的工作。

1989年11月20日，第44届联合国大会通过了《儿童权利公约》。它是第一部有关保障儿童权利且具有法律约束力的国际性约定。新南非诞生之后，于1995年7月16日，加入联合国《儿童权利公约》。南非政府将《儿童权利公约》的精神，融入了《宪法》。《宪法》中确立了“儿童最大利益原则”，对儿童的一些基本权利，如人身安全、受教育权利等作出了明确的规定。

1996年7月9日，南非加入了《非洲人权和人民权利宪章》，1999年3月10日加入《国际公民权利和政治权利公约》，2000年1月7日加入《非洲儿童权利和福利宪章》。加入这些国际条约，需要南非政府对1983年颁布的《儿童照顾法》进行修改，维护儿童最基本的权利，以满足国际公约的要求。南非法律改革委员会于2003年1月开始起草《儿童法草案》，于2005年正式颁布了《儿童法》。

1976年1月，联合国颁布的《经济、社会及文化权利国际公约》正式生效。该《公约》提出了要尊重人的受教育权、社会保障权、家庭权利、健康权、文化活动权等涉及公民生活、身体、知识发展的“权利群”。其中，儿童受教育权的核心义务包括：不受国家和第三方干预，自由选择教育；为所有的人提供初等教育；确保具有进入公立教育机构的权利；采用和执行国家教育战略，包括提供初等教育和高等教育。[①]虽然，新南非并未加入该《公

① Rika Joubert. Incorporating international standards into national education law in South Africa: The accountability of the state[J]. Southern African Public Law-Volume 29, Issue 1, January 2014. P5.

约》；但南非人的这些教育权利在1996年的《宪法》中即得到了体现。

《南非学校法》规定了政府应公平地资助公立学校，保障学习者的权利，纠正种族隔离制度对教育投入的不平等。这促进了南非免费教育政策的制定。每年各省教育厅都必须统计为贫困学生开办免费学校所占比例的数据。这也促成了南非在2005年对《南非学校法》进行的修正，提出在贫困地区提供免费教育，即贫困地区的家庭不用缴纳学费。

在20世纪80年代，新自由主义的思想影响着南非政府政策的制定。南非黑人的入学机会、教育与培训程度得到不同程度的提高，但所享受的资源仍然处于不平等的状况。

二、教育背景

（一）白人和黑人之间教育差距巨大

在新南非成立以前，教育资源为白人所垄断。黑人学生的人均经费只占白人学生的20%。直到1986年，白人学生的生均经费是经济条件最差的班图斯坦地区黑人生均经费的9倍以上。①

黑人教师的待遇，也远远低于白人教师。这影响到黑人教师的工作积极性。据1991年统计，白人学校师生比平均为1∶1.7，而黑人学校平均为1∶40，有色人种和亚洲人的上述比例分别是1∶23和1∶20。黑人教师所付出的教学时间要比白人教师多出很多倍。但这并不意味着黑人教师可以拿到更高的报酬；相反他们所得的薪金只相当于白人教师的52%。②

黑人家庭缺少资金将孩子送到教育条件相对较好的城市就读，甚至无力缴纳学费。这给政府带来了沉重的负担。城市黑人中产阶级也养成了与白人相同的教育旨趣，尽力使孩子去享受优质教育，而不愿意再去接受与贫穷黑人孩子一样的教育。越来越多的农村黑人中产阶级家庭宁愿缴纳更多的择校费用，也要将孩子送到城市的白人学校就读。农村教育就越来越衰败。这需

---

① Department of Education. Education For All-2005 Country Status Report：South Africa[R]，Pretoria：Department of Education，2005：1.

② 田腾飞．社会变革背景下南非的教师教育研究[D]．重庆：西南大学，2012：36.

要政府提供更多资金，向黑人学生和农村学校倾斜，保证为所有儿童提供优质的教育。

（二）教育管理条块分割，效率低下

新南非成立之初，全国和各省的教育管理部门都是条块分割的。学校内部管理体制也存在着问题，尤其是农村学校的管理水平低下。不同种族的教育分属不同的教育部门管辖，这阻碍了教育资源的优化配置。在多种族混居的地区，教育依据不同的种族来进行分设。这不利于发挥教育的规模效应，甚至可能造成巨大的浪费。

正如非国大所指出，遗留下来的南非教育体制存在着以下三个主要问题：一是教育制度根据种族和民族划分，是碎片化的，充斥着种族主义和性别歧视。二是缺乏进入各级教育与培训系统的机会或进入机会不平等。黑人和白人之间教育设施存在着巨大差异；尤其是成人（更多的是妇女）、失学青年、学龄前幼儿，缺少接受教育或训练的机会。三是教育与培训制度缺乏民主管理，教师、家长和学生被排除在教育决策过程之外。①

统一融合的新南非，需要在管理体制上建立统一的制度，以促进民族和解，使入学儿童享受平等的教育；而不是因为肤色、种族、出生地域的不同，获得有差异的教育。这就需要一种新的教育管理体系，来解决南非教育中存在的诸多问题。在农村学校的管理中，需要成立学校管理机构来更好地对学校进行管理。在以往的学校管理中，校长一个人说了算，学校管理更多由科层制驱动，花太多时间在行政事务上，而使学校的服务对象从学校管理活动中退出，学校拒绝信息公开。教师和家长参与程度低。要改变以往的做法，由管理走向治理，学校管理者便应承担更多的绩效责任，让更多的利益相关者参与学校管理。

---

① African National Congress. Reconstruction and Development Programme：Developing our Human Resources[EB/OL]. http://anc. org. za/content/reconstruction-and-development-programme-developing-our-human-resources.

第二节　教育治理的启动

新南非政府成立之后，为改变南非具有种族隔离烙印的教育政策或法律，政府把建立体现种族平等、民主管理的制度作为施政目标。根据此目标，南非成立了教育部、教育厅、学区三级管理体制，并颁布了相应的法律，规定了各级管理机构的职责。为了实施民主管理，在学校成立了学校管理机构。南非构建了教育部与教育厅的合作型治理模式，并成立了各种半官方的专业组织来参与教育管理。

一、治理目标的确定

新南非的教育治理，总体分为三个阶段：1994—1999年为第一个阶段，即教育政策的制定阶段，主要是为了纠正和清除教育领域内的种族隔离政策；1999—2004年为第二个阶段，即政策的加快执行阶段；2004年至今为第三个阶段，即教育的重新集权阶段。政府认为教育政策执行不力，因而将部分自治权力予以收回。[①]

1994年，为了解决种族隔离所带来的种族间经济收入悬殊的问题，改善黑人的社会经济条件，提高黑人生活水平，政府制定了改善投资和促进就业的政策。在当时，南非的失业率达到了30%。1994年3月1日，非国大提出了《重建与发展计划》的建议草案。[②]新南非成立后，正式公布了《重建与发展计划》。教育被作为提高人力资源的一种手段。南非人不分种族、男女老少都获得了受教育与培训的机会。该计划建议建立一种终身教育体系，即面向所有人开放的统一的教育与培训制度；无论其种族、肤色、性别、语言、年龄、宗教、居住地点、所持观点和信仰，均能平等地接受教育。课程也需要进行改革，与过去的课程划清界限，以满足不同阶段学生的需要。尽可能地为学生提供十年义务教育。减少大班额，力争在2000年，每班学生

---

① Simon Diatleng Sebidi. Analysis of Administrative Governance in Education：the Case of Mpumalanga Department of Education[D]. Pretoria：University of Pretoria，2008：1.

② African National Congress. A basic guide to the Reconstruction and Development Programme [EB/OL]. http://www. anc. org. za/content/basic-guide-reconstruction-and-development-programme.

人数不超过40人。所有的人终身都可接受教育与培训，以提升他们的技能、提高发展自己的机会。将优先培训工人，以满足政治经济条件的挑战。工人培训将会被承认，并获得学分；将建立国家资格框架，使所有经过培训的工人都能顺利进入职业。[①]《重建与发展计划》为南非后种族隔离时代的教育治理提出了改革蓝图。

1994年，南非举行首次不分种族的民主大选之后，成立了统一的教育部。教育部的首项工作是对原有不符合种族平等理念的教育制度进行改造，勾画出未来南非教育发展的蓝图。

1996年，南非颁布了新的《宪法》，规定了人人都可以接受的统一教育制度。其中第二章规定："每个人都享有接受基础教育的权利，包括成人基础教育，而且国家必须采取各种合理措施来不断推动人民享有继续教育与培训（即学校的十至十二年级阶段）的权利。"[②]《宪法》也规定了政府之间的合作治理结构。《宪法》第40—41条规定了各级政府之间处理关系的准则。其中规定：南非政府、省级政府和地方政府之间是相互依赖、相互关联的关系。提出了建立合作型关系的原则。应作为一个有效的、透明的、有责任的和一致的政府整体形象展现在公众面前。应相互支持、尊重和诚实，涉及共同利益时相互协商。[③]

为全面消除种族隔离所带来的不利影响，建立不分种族的民主教育制度，1996年，南非颁布了《国民教育政策法》（The National Education Policy Act，1996），1998年，颁布了《教育从业者法案》（The Employment of Educators Act 76 of 1998）等教育法案。这些法律的颁布，为南非新的教育制度提供了法理基础。在这些法案中，贯穿着教育平等、教育公平、全民教育和终身教育等理念。这均为当时发展中国家教育改革流行的指导思想。

教育民主与平等成为了教育治理的目标之一。受世界全民教育思潮的影响，南非政府加入了实施全民教育的行动。1990年3月，在联合国教科文组

---

① African National Congress. A basic guide to the Reconstruction and Development Programme. [EB/OL]. http://www. anc. org. za/content/basic-guide-reconstruction-and-development-programme.

②③ Constitution of the Republic of South Africa，1996[EB/OL]. https://www. gov. za/documents/constitution-republic-south-africa-1996.

织、联合国儿童基金会等组织的支持下，各国代表在泰国宗滴恩召开了世界全民教育大会。大会最后发表了《宗滴恩宣言》，即《世界全民教育宣言：满足基本的学习需求》。南非虽然没有派代表与会，但全民教育的宗旨，与南非倡导全民基础教育的理念不谋而合。在1994年新南非成立后，完全接受了《宗滴恩宣言》，并将全民教育的目标和理念贯穿于教育改革的具体实践之中。此后，南非成为了全民教育的积极参与者。1999年，撒哈拉以南非洲地区的全民大会在南非约翰内斯堡举行，时任南非总统姆贝基到场讲话。会后形成了《撒哈拉以南非洲地区全民行动框架》。该框架将非洲复兴的理想纳入全民行动框架之中，极大地鼓舞了非洲各国对教育的投入热情。

南非将终身教育作为其改革的指导思想。自从法国教育家保罗·朗格朗提出终身教育思想以来，它成为了各发展中国家教育改革的指导思想。在终身教育思想的指导下，联合国教科文组织出台了一系列的报告，如《学会生存》（1972）、《教育——财富蕴藏其中》（1996）。在终身教育思想的影响下，南非建立了教育资格框架，将基础教育、教育培训与训练、高等教育都纳入其中，构建了南非终身教育体系。

二、教育治理机构的设立

新南非成立后，总统曼德拉任命希布西索·本古（Sibusiso Bengu）教授担任教育部长。南非建立了从教育部、教育厅、学区到学校管理机构等各级教育行政管理机构。此处只探讨学校管理机构和高等教育管理机构的设立；教育部、教育厅、学区等其他机构下章再进行介绍。

（一）学校管理机构的设立

1996年，南非颁布了《南非学校法》。规定各中小学建立具有广泛代表性的学校管理机构，改革以往的学校管理制度，实行专业性治理。该法对普通公立学校管理机构的职责、成员组成等做出了详细的规定。这提供了一种民主的学校治理结构，在教育行政部门与学校、社区之间建立起一种合作型治理模式。《南非学校法》第23条规定，其组成成员包括：当选成员与增选成员，当选成员包括家长、学校的非教育工作者、学校八年级及以上学生、校长。为有特殊需求的学习者提供教育的普通公立学校的管理机构，必须在实际可行的情况下，选择一个或多个相关专业人员作为增选成员，可以选择一个或多个社区成员协助其履行职能，可选择学校所有人或该所有人的指定代表。①

该法也规定了学校管理机构的职责：促进学校的最佳利益，努力确保学校的发展，为学校所有学生提供优质教育；遵守宪法；制定学校的任务说明；为学校的学生制定行为守则；支持校长、教育工作者和学校其他工作人员履行其专业职能；确定上课日的时间；管理学校的财产，包括占用的建筑物和地面，如校舍，但行使此权力不得以任何方式阻碍执行委员会成员或部门主管提出的相关政策实施；鼓励家长、学生、教育工作者和学校其他工作人员为学校提供志愿服务；向部门主管推荐学校教育工作者的任命；向部门主管推荐学校非教育工作者的任命；应部门主管的要求，允许在学校设施管理部门负责人确定的公平条件下合理使用学校未开展的教育项目；履行本法规定或根据本法施加给管理机构的所有其他职能；履行基础教育部或执行委员会根据本法确定的其他职能。

管理机构被允许合理使用学校的设施，以实现社区、社会和学校筹款目的，但需遵守管理机构确定的合理条件，包括收取费用。

该法对学校管理机构的建立作出了具体规定：在符合本法和任何适用的省级法律的前提下，公立学校管理机构必须按照符合执行委员会成员在省政府公告确定的最低要求行事。必须在每学期至少召开一次管理机构的会议；管理机构分别与家长、学习者、教育工作者和学校其他工作人员每年至少召开一次会议；记录和保存管理机构的会议记录；提供这些会议记录供部门主管检查；每年向家长、学习者、教育工作者和学校的其他工作人员至少提交一次活动报告。管理机构必须在其选举后的90天内将其章程副本提交给部门主管。

该法第18条规定了学校管理机构的行为准则：执行委员会成员必须

① Parliament. South African Schools Act No. 84 of 1996. Government Gazette. Cape Town: Parliament of South Africa. No. 17579[EB/OL]. https://www. gov. za/sites/www. gov. za/files/Act84of1996. pdf.

在与该省管理机构协会磋商后，确定公立学校管理机构成员的行为准则；行为准则旨在建构纪律严明、目标明确的学校环境，致力于实现改善和维护公立学校的优质治理结构；管理机构的所有成员都必须遵守行为准则；行为准则必须包含正当程序规定，在纪律程序中保护管理机构成员的利益；在正当程序后，部门主管可以暂停或终止理事机构成员违反行为准则的行为；管理机构的成员可以向执行理事会成员提出上诉。

这意味着校长不再是独立一个人做出决定，他必须与学校管理机构和管理小组相互合作，以满足利益相关者的利益诉求。学校管理机构集体做出决策，增加了其采取行动的能力。

（二）高等教育管理机构的设立

为改变种族隔离制度影响下的高等教育制度，1997年11月26日，南非颁布了《高等教育法》。该法提出要建立高等教育委员会，对南非的高校进行合并，并规定了高等教育的治理结构、公立高等教育的资金来源、高等教育的评价、私立高校的注册手续等。《高等教育法》第39条，要求教育部基于“公平和透明”的分配原则实施拨款。该法规定了高等教育委员会的功能：其一，高等教育委员会可自行就高等教育的任何方面向部长提出意见或建议。这些意见或建议主要涉及：资格、质量推广和质量保证；研究高等教育制度的结构；高等教育制度的规划；公共资金分配机制；学生财政援助；学生支持服务；管理高等教育机构和高等教育制度、语言政策等。其二，部长必须考虑高等教育委员会的意见，如部长不接受有关建议，应以书面形式向议会解释。该法还规定了例外情况：如果事情紧急，或高等教育委员会未能在合理的时间内提供建议，部长可在不征求高等教育委员会意见的情况下行事。其三，如果部长在没有高等教育委员会的建议下行事，部长必须向高等教育委员会报告，部长没有遵循高等教育委员会的建议，并以书面形式向高等教育委员会提供此类行动的理由。

为了促进高等教育的质量保障，审计高等教育机构的质量保证机制，认证高等教育项目的资格，该法明确提出，要根据国家资格框架，设立其常设委员会——高等教育质量委员会（The Higher Education Quality Committee）。

该法还规定公立高等教育机构的治理。其具体治理结构如下：每一个公立高等教育机构都可以任命一位校长作为其名义上的校长；各公立高等教育机构必须设立下列机构和组织：理事会、评议会、校长、副校长、学生代表委员会、论坛组织等。

该法第27条规定，成立公立高等学校理事会，并作出了如下具体规定：其一，该理事会在机构章程的规定下行使职权。其二，依据部长决定的政策，经参议院同意，理事会决定一个公立高等教育机构的语言政策，并按要求提供正式文本。其三，校董会与学生代表大会协商后，必须提供适当的架构，就公立高等教育院校的学生支援服务政策提供意见。其四，该理事会由不超过30名成员组成，包括校长、副校长，且部长任命的成员不超过5人，由参议院选出的参议院议员，公立高等教育的学术雇员或其他学术雇员，由学生代表委员会选出的公立高等教育院校的学生或其他学生。理事会力图代表多方面的利益，实现民主管理。

该法第28条规定，设立公立高等学校的评议会，并作出了如下具体规定：其一，该评议会对公立高等学校的学术和研究职能负责，并且必须承担理事会委派或分配的工作。其二，公立高等教育机构的评议会成员必须包括：校长、副校长、公立高等学校的学术人员、除学术以外的公立高等教育机构的雇员、理事会成员、学生代表理事会成员、机构章程可能确定的其他人员。

该法第29条规定，设立理事会和评议会的委员会，并作出了如下具体规定：其一，公立高等教育机构的理事会和评议会，可以各自设立委员会履行各自的职责；也可以任命非理事会或评议会成员的人士，视情况而定。其二，理事会和评议会不负责承担根据本条法案委派给委员会的任何职责。其三，公立高等教育机构的理事会和评议会可共同提名委员会，称为联合委员会，履行理事会和评议会共同的职能。其四，委员会和联合委员会的组成、选举方式、职能、会议程序和解散，由机构章程或机构规则确定。[①]

学校管理机构与高校管理机构分别负责大中小学日常管理。它们对维护学校正常运转，提升教育质量，起到了积极的作用。

---

① Parliament. Higher Education Act 101 of 1997. Government Gazette. Cape Town：Parliament of South Africa［EB/OL］. http://www. che. ac. za/sites/default/files/publications/act101. pdf.

第三章　南非教育治理体系

新南非政府成立以来，为了激发各利益攸关主体参与教育治理的积极性，对教育治理的结构进行了调整。南非参与国家教育政策制定的主体构成，由种族隔离时代单一的官方主体，走向了官方主体与非官方主体相结合的模式。目前，南非教育治理体系由教育行政机构、教育专业组织、教师工会与家长会三大部分组成。他们共同参与国家教育治理活动。

第一节　教育行政机构

南非实行国家、省级和地方三级教育管理体制。其中，中央一级的教育行政机构为教育部，省一级的教育行政机构为教育厅，在教育厅下设有学区这一机构，承担具体的地方教育管理职能。

一、教育部

教育部由部长、副部长、顾问和管理人员组成，向总统和内阁负责。教育部长有权签署并发布由教育部所起草和制定的教育行政政策。2009年之前，国家教育部是一个整体部门。2009年后，为了凸显基础教育的战略地位，政府将教育部拆分为基础教育部、高等教育与培训部。基础教育部负责初等和中等教育事宜；高等教育与培训部负责高等教育及培训事宜。两个教育部的最高直接领导，分别为内阁中的基础教育部长及高等教育与培训部长。教育部长之下为教育部副部长及教育总监。教育总监实为教育部日常运转及有关事宜的具体执行者。教育总监及其领导的教育部在教育行政政策、教育法律草案的起草和准备方面履行实际职责，负责具体工作。

1995年，教育部颁布了《教育与培训》白皮书。规定了教育部的11项职能。其中包括：加强对《宪法》相关教育条款规定的执行，包括普及基础教育，保障公民平等受教育权，教育制度的无歧视，保护语言、文化和宗教的多元性，保护学术自由、平等的经济资助。建立和运行一个全国教育管理信息系统。为全国学校的课程框架、课程标准、考试和证书，制定规则和标准。为省级政府的教育提供支持。向金融和财政委员会提出建议，与教育厅保持良好的合作关系，更好地发挥职能。教育部也成立了各种监管机构，如部长理事会，各州教育厅长委员会、基础和中等教育与培训质量保障委员会、南非资格认证署等，负责监管全国的教育运行情况。

二、省教育厅

根据1996年《国家教育政策法》的规定，各省设有自己的教育行政部门，即教育厅。其主要任务有三：贯彻实施国家制定的教育法律和政策，对各类学校进行评估，确保各类学校执行国家的标准；满足各级各类学校的基本需求，调查本省适龄儿童入学情况，规划学校的数量及选址，并上报给教育部；提供奖学金和落实贷款制度。

教育厅还负责学生安全法规的制定。如豪登省2004年制定了《关于独立学校安全措施的条例》，明令禁止学生吸毒或滥用毒品，并委派评价者连同卫生部门到学校进行调查，及时检查学生的安全和健康情况。再根据调查结果，采取相应的干预措施。

教育厅还必须对有关教育的法律条文进行解释，尤其是针对法律条文中的不一致的、模糊的、相互矛盾的地方，结合本地区实际来加以理解，以便法律条文能得到更好的实施。根据《宪法》规定，省级立法机构能针对本省除大学和理工学院以外的教育机构进行立法，在本省适用，《宪法》另有规定的除外。省教育厅在国家教育法案和教育部政策的指导下，制定相关的具体实施项目，以及决定实施的优先事项。

三、学区[①]

学区是南非地方教育管理机构，也是省级教育厅和地方教育机构之间的重要沟通渠道。

南非的学区主要承担四种角色：为学校提供管理服务，督促学校执行教育政策，为学校提供支持服务，保持对学校的问责。[②]

2013年，基础教育部颁布的《学区的组织、角色和责任政策》，对学区的责任和义务进行了明确的界定。学区是联系省教育厅、教育机构和公众之间的纽带，在确保学习者接受高质量的教育方面起着重要作用。它们的任务是与学校校长和教育工作者合作，改善和维持办学条件，提供管理和专业支持，并帮助学校在学习和教学方面取得优异成绩。其主要工作主要是：

其一，收集和分析学校、巡回办公室和学区数据，为规划提供信息；协助学校编制学校改进或发展计划；将学校改进或发展计划纳入地区计划。

其二，为学区内的教育机构提供有利的环境和有针对性的支持，使其按照教育法律和政策开展工作；通过学校访问、课堂观察、咨询、专项会议、适当的反馈报告和其他方式，协助校长和教师提高教学质量；作为教育机构教育法律、政策和行政的信息汇集点；促进区内所有机构的信息通信技术连接；为管理人员、教育工作者和行政人员的专业发展提供有利的环境和组织支持。

其三，监督所在地区的教育机构负责人，使其对学校的办学负责；通过学区内教育部门的绩效考核协议向省教育厅负责。绩效协议规定了学区公职人员的角色、职能和责任。

其四，以公开和透明的方式向公众提供教育相关信息和咨询；在所有与公众打交道的过程中，坚持“巴诺贝利”原则（Batho Pele Principles，即人民优先原则，它需要公务员为公众提供有礼貌、公开透明的优质服务）。

---

① Department：Basic Education. Education Districts[EB/OL]. https://www. education. gov. za/Information for/Education Districts. aspx.

② Hersheela Narsee. The Common and Contested Meanings of Education Districts in South Africa[D]. Pretoria：University of Pretoria，2006：45–46.

有研究表明，在南非，学区虽然作为南非教育治理体系的一部分，但政府对学区缺少明确的政策规定。[①]从市场的视角，学区的作用有限，主要是促进合作，以及为学校提供信息。从社区的视角，学区的作用介于社区和学校二者之间。

学区还下设巡回办事处。巡回办事处干事根据学区主任分配的职能和行政指令开展工作。

根据地理位置、人员配备以及经费等因素的要求，学区由5—10个巡回办事处构成。一个教育巡回办事处负责管理15—30所学校。但每个学区管理的学校数量不得超过250所。

第二节　教育治理专业组织

南非法律规定了社会各界应参与国家的协同治理，这为专业性机构参与教育治理提供了保障。专业性的治理机构按主体可分为官方的、半官方和民间的机构。它们在南非教育发展方面起着辅助教育行政机构不可替代的作用。本节只探讨官方的专业治理组织。

一、南非人文科学研究委员会

南非人文科学研究委员会（Human Sciences Research Council，HSRC）成立于1968年。它是国家社会研究中心的分支机构，属官方专业性机构。如今，它已经成为非洲大陆最大的人文社会科学专门研究机构，在关键发展领域进行前沿的公共研究。其主要任务在于：帮助政府制定政策；评估政策的实施；通过传播基于研究的数据和基于事实的研究结果，激起公众讨论；促进研究合作；为人文科学提升研究能力和构建基础设施。

南非人文科学研究委员会的职能：

① Hersheela Narsee. The Common and Contested Meanings of Education Districts in South Africa[D]. Pretoria：University of Pretoria，2006：2.

> 发起、承担和培育人类科学的战略基础和应用研究；通过收集、分析和发布相关数据，探讨南非、非洲及全球面临的发展挑战；传达相关政策，制定和监测，并评估其执行情况；有效传播其研究成果，引发公众辩论；促进人类科学研究能力的提升和基础设施的建立；促进各机构间的研究合作；通过对发展问题的研究和分析，对社会边缘群体的需要做出反应，改善他们的生活；提供可用数据，用于支持研究、政策发展和公众讨论；开发、改进数据集的使用方法。①

委员会从事大规模的、与政策相关的科学研究，它服务于公共部门、非政府组织、国际发展机构。研究活动与南非经济发展重点密切相关。委员会综合研究项目提供了单一的切入点，在下列领域进行跨学科和以问题为导向的研究：如民主、治理与服务提供，经济表现与发展，教育和技能发展，人类和社会发展等。②

南非人文科学研究委员会可以收集、分析和发布相关数据，探讨南非、非洲及全球的教育发展情况。例如：2016年11月29日发布了2015年国际数学与科学研究趋势研究的结果③。研究了南非在2015年国际数学和科学趋势测评中的表现，并分析了2003—2015年数学和科学成就的趋势。研究结果对于跟踪教育进展和教育部门的运行状况具有重要意义。据此可以确定相应的干预措施以不断改进。

南非人文科学研究委员会也可以有效传播其研究成果，引起官方和公众对某些发展方向的关注。例如：高等教育机构利用演化经济学和国家创新体系方法为经济发展做出贡献。通过强调教育、技能、工作、创新和生产对于经济发展的重要性，有效强化了高等教育在经济发展中的重要角色。在此基础上，几位南非人文科学研究委员会专家于2015年进行了天文学和汽车的两个案例研究并发表论文，考察了南非高等教育如何为经济发展做出贡献。这

---

① National Government of South Africa. Human Sciences Research Council（HSRC）[EB/OL]. https://nationalgovernment. co. za/units/view/107/human-sciences-research-council-hsrc.

② HSRC. What We Do[EB/OL]. http://www. hsrc. ac. za/en/about/what-we-do.

③ HSRS. Release of TIMSS 2015 study results [EB/OL]. http://www. hsrc. ac. za/en/media-briefs/education-and-skills-development/timms-study-results.

些成果显示了教育与经济发展的关系在全球、国家、部门等空间层面之间交叉的重要性。为教育、技术创新、生产和发展之间关系等方面的教育研究和发展提供了宝贵经验与借鉴。①

南非人文科学研究委员会主要面向公共部门用户、非政府组织和国际发展机构，为他们提供大规模的、与政策相关的社会科学项目，用于支持南非本国、南部非洲发展共同体和非洲的发展。目前，它已经成为非洲大陆社会科学和人文领域最大的专门研究机构，致力于前沿领域的发展研究。②

二、南非资格局

1995年10月，南非政府颁布了《南非资格局法案》。南非资格局的主要职责是：为学生的学习成绩管理创造一个综合的国家框架；促进教育与培训和职业生涯机会的获得、彼此间的流动与发展；提高教育和训练的质量；加快纠正过去教育领域不公正的歧视现象；促进每个学生的全面发展和国家社会经济发展。资格局成员必须有来自于教育厅、劳工部门、国家训练委员会、商业部门、各类学校和教育机构、教师团体等各相关机构的代表。且规定来自于教育部长任命的人数不得超过6人。③

该法案在2004年、2008年都经过了两次修正。2009年的《国家资格框架法案》规定了国家资格，包括10个层级，以及3个附属框架。南非教育部颁布了《普通教育、继续教育与培训资格框架》《职业资格框架》《高等教育资格框架》3个附属框架。根据该法案，南非资格局针对教育和训练机构，制定了质量管理系统。

南非资格局还负责对教育领域和培训部门的学习和培训项目进行管理，对相关学历层次进行注册和认证。它可针对资格框架向教育部长和劳动部长提出建议，还可与各机构就行业标准进行协商。南非资格局的最高行政单位

---

① HSRC. Higher education and economic development：The importance of building technological capabilities[EB/OL]. http://www. hsrc. ac. za/en/news/view/he-dev.

② HSRC. [EB/OL]. http://esat. sun. ac. za/index. php?title=Human_Sciences_Research_Council.

③ South African Qualifications Authority Act 58 of 1995[EB/OL]. https://www. gov. za/sites/default/files/a58-95_0. pdf.

是南非资格局委员会。委员会的12名成员是在教育部长（包括基础教育部长和高等教育与培训部长）与南非劳动部长协商的基础上在南非教育与培训领域中选出的。在标准方面，下设两个机构，即国家标准机构和标准生成机构。标准生成机构负责生成和更新相关的教育标准，而国家标准机构依据这些标准认证和审核相关教育标准。在质量保障方面，资格局于2000年8月发布了质量管理系统。资格局促成了教育与培训质量保障团体的建立，并且为其提供认证。[①]包括教师教育机构在内的各种教育机构需要向南非资格局申请认证。

三、南非教育工作者理事会

南非教育工作者理事会成立于1996年。旨在通过标准注册、专业发展管理及道德规范教育提高教师的专业地位。[②]该委员会具有以下职能：其一，教师注册管理。教师在正式委任之前，必须向委员会注册，否则不得从事教育工作。委员会制定了明确的注册流程、注册标准、注册管理等规范。其二，教师专业发展管理。委员会下设有专业发展与研究部门。南非国家政策和法案赋予该部门诸多职能，负责教师激励并维持职业形象、教师职业教育与发展、资源开发、开展培训方案、编制和印制专业期刊、建立教育工作者专业援助机构等。其三，道德规范教育。道德规范教育旨在确保教育工作者遵守职业道德守则，维护教师职业的尊严。委员会下设有相应的管理部门，协调并处理雇主与教师间的关系。

四、行业教育培训局

行业教育培训局成立于2000年。其性质为职业技能培训机构。行业教育培训局主要承担两方面工作：一是促进国家技能发展战略的执行；二是提高部门人员的技能。截至2011年3月，南非已经建有21个行业教育培训分

---

① 吴钒珲．南非教师教育质量保障政策研究［D］．福州：福建师范大学，2012：29–30.

② South African Council for Educators （SACE）. Vision and Mission［EB/OL］. https://www. sace. org. za.

局。任何南非工厂和职业都处于其管辖范围之内。每个分局负责管理学习、实习、技能培训、学徒管理等方面的事务。[①]行业教育培训局负责对各机构的项目进行审查和认证，对其标准进行抽样检查，考察其是否建立了良好的质量保障体系，尤其关注其标准的一致性与科学性。

五、南非教育劳动关系理事会

南非教育劳动关系理事会于1994年在比勒陀利亚成立。该理事会为公共教育部门的教育工作者，特别是那些根据1998年《第76号教育法》雇用的教育工作者提供服务。理事会还通过有效的干预，来解决涉及儿童的公共教育争端。该理事会还是一个为公共教育部门服务的全国性的谈判理事会。它的首要工作是通过解决争端和提供预防服务，促进公共教育部门的劳资双方的和平共处。它的次要工作是通过工会与政府进行谈判，来促进公共教育部门的劳资双方的和平共处。[②]

理事会的宗旨是：其一，专业精神，促进被普遍认为正确和恰当的行为；其二，透明度，确保公民能够获取信息；其三，独立性，独立做出明智决定的权利，尽量减少或避免利益冲突；其四，问责制，对所采取的行动和决定承担责任，并考虑纠正措施和对错误行为的惩罚；其五，公平与公正，申诉与争议的裁决；其六，社会责任，应对当下的社会问题；其七，效率，提供优质的经济服务。[③]

六、普通和继续教育培训质量理事会

2001年，根据议会颁布的《普通教育、继续教育与培训质量保障法》，普通教育、继续教育与培训质量保障委员会成立，作为负责南非所有学校

① Department of Labour. Sector Education and Training Authorities[EB/OL]. http://www. labour. gov. za/DOL/downloads/documents/useful-documents/skills-development-act/Useful%20Document%20-%20NSF%20-%20Sector%20Education%20and%20Training%20Authorities. pdf.

② Education Labour Relation Council. About Us[EB/OL]. http://www. elrc. org. za/about-us.

③ Education Labour Relation Council. Values[EB/OL]. http://www. elrc. org. za/about-us.

质量保障的机构。[①]该法案代替了《南非证书委员会法案》。该机构成立的目的在于：提升普通教育与继续教育的培训质量，监控课程和评价的规范和标准，为证书的退出提供依据。法律规定了该委员会的职责：提升学校教育的质量和标准；通过对资格证书、课程、学生学习情况及教育条件的质量评估，保持和改善教育质量；通过细致的研究，在管理范围内不断扩展知识的深度和广度；以调查报告的形式，报告教育、培训和评估的质量结果；按照特殊资格证书标准和学科发放适当和有效的资格证书；建立高质量的领导和管理体系，确保认证的质量；保证普通和继续教育培训质量理事会财政的效益和稳定性；定期更新网站，使所有人及时准确地了解相关信息。[②]

普通和继续教育培训质量理事会的权限如下：作为新的开发和管理质量委员会，普通和继续教育培训质量理事会确保普通和继续教育培训机构下的子机构的资格认证；开发和保障资格证书及课程的质量；评估、保障毕业生的质量；向合格学生发放资格证书；保障和规定私营投资者开办的教育和培训机构的质量，并进行评估；对与子机构相关的机构进行调查研究；向教育部长提交建议。[③]

法律还规定了该理事会对公立、私立教育机构的认证标准。认证不合格的机构将按程序退出。该法案第三章第22条规定，针对公立教育机构，该理事会必须为各省教育厅制定相应的标准，并提交给教育部确认。教育部则应该根据1996年《教育法》相关条款，制定出相应的政策。在教育部门没有完成规定的任务时，理事会必须将情况向教育部报告。教育部根据未完成任务的原因，来寻求解决该问题的步骤。该法案第23—25条规定，对于私立教育机构，理事会也应该制定相应的标准，提交给教育部。教育部再据此制定针对私立教育机构的认证政策。理事会必须在两个星期内告知私立教育机构认证结果。对于不符合标准的私立教育机构，经过一定的程序后，对其认证资

① Umalusi. Umalusi's role in education and training in South Africa[EB/OL]. https://www. umalusi. org. za/show. php?id=2894.

② 唐丽娇．种族隔离废除后南非独立学校管理体制初探[D]．长春：东北师范大学，2011：17-18.

③ 唐丽娇．种族隔离废除后南非独立学校管理体制初探[D]．长春：东北师范大学，2011：18.

格予以撤销。[①]该机构会针对学校质量监控发布各种政策。如2017年，它根据2008年的《国家资格证书框架法案》颁布了《国家证书的重新颁发政策》。[②]

国家资格证书框架的制定，有利于针对各种教育机构，建立一个统一的教育体系，以及实行不同教育机构之间的学分转换。

七、高等教育质量委员会

2000年，为了强化对高等教育质量的监督和审核，高等教育委员会下属的质量促进部与技术学院教育证书委员会，经过多次协商，决定合并成立了高等教育质量委员会。2001年1月，发布《高等教育质量委员会成立文件》。

2001年5月，高等教育质量委员会正式成立后，便开始着手开发资格框架。2007年10月，南非政府颁布了《高等教育资格框架》。[③] 2009年，为执行《高等教育资格框架》，所有项目都必须提交高等教育质量委员会加以认证。

高等教育质量委员会对"质量"做出了明确的界定，即"目的适切性"。从国家的宏观目标和优先领域出发，高等教育质量委员会的职能分为5个方面：院校审核、教学项目认证、国家评估、质量提升和能力发展、自行评审。[④]

八、贸易与职业质量理事会

贸易与职业质量理事会根据《技能开发法案》的条款而成立，负责监督职

---

① Parliament. General and Further Education and Training Quality Assurance Act，No. 58 of 2001. December. Cape Town：Parliament，2001. http://www. umalusi. org. za/docs/legislation/2001/actno58_2001. pdf.

② Call for Public Comments on the Draft Policy for the Re Issue of Certification[EB/OL]. http://www. umalusi. org. za/docs/policy/2017/re-issuer-of-national-certificates. pdf.

③ DOE. The Higher Education Qualifications Framework（HEQF）[R]. Government Gazette No. 30353 of 5 October 2007.

④ 顾建新，牛长松，王琳璞．南非高等教育研究[M]．北京：中国社会科学出版社，2010：288.

业资格从设计到认证的全过程。该理事会着眼于机器操作员和技术人员等职业资格认证，旨在制定和发展高质量职业资格标准，以确保南非拥有社会经济所需的合格劳动力。还协助那些需要提供职业等级资格的人员，对他们进行认证，并确保他们符合所要求的标准。

该理事会的建立是为了支持、提升学习和工作场所的质量保证。该理事会将使行业需求更接近教育和培训体系，以更好地满足青年和成年人的愿望；并确保教育、培训和技能发展活动能充分满足社会和经济需求。①

南非还有一些专业团体和法定理事会，负责在特定业务领域提供质量评估。这些机构必须经过南非资格认证局的认证并获得相关资质后，才能正式运作。

第三节　教师工会与家长

南非教师工会与家长是南非教育治理中不可忽视的力量。工会依法保障教师的权益，参与教师专业发展，维护教师的专业伦理，对教师素质的提升起着积极作用。家长参与是南非合作治理的重要形式。《南非学校法》赋予了家长代表参与学校管理的职责，家长是学校管理委员会的法定成员；委员会的主席只能由家长担任。而且家长代表的名额要达到所有具有投票权代表人数的一半以上，以体现家长在学校管理中的地位。

一、教师工会

在南非教育劳动关系理事会注册，并获得承认的有南非民主教师工会和自治教师工会联合会。后者由南非全国专业教师组织、全国教师工会、南非医生公务员协会、专业教育者联盟、南非公共雇员联合会、南非教师工会等工会团体组成。南非约有三分之二以上的教职员工加入了各种教师工会

① QCTO-Quality Council Trades[EB/OL]. https://www. skillsportal. co. za/skills-portal-categories/skills-development/qcto-quality-council-trades.

组织。[①]

（一）南非民主教师工会

南非民主教师工会成立于1990年10月6日，拥有26万名教师成员，是南非最大的教师工会。[②]它与非洲国民大会结盟，是南非工会大会的附属机构。[③]

南非民主教师工会，是由来自南非各地至少18个组织的数千名教师共同组成。它是南非成立的第一个全国统一的、非种族的和非有色人种的联盟。南非民主教师工会在平等教育以及国家政治解放中发挥了重要的作用，对南非废除种族隔离制度做出了贡献。

全国代表大会是工会的最高管理机构，每五年至少开一次会议。全国代表大会之下又设有全国总理事会、国家执行委员会和国家工作委员会。全国总理事会由国家办事处负责人、省主席、地区主席等组成，国家执行委员会负责工会的各项事务管理，国家办事处负责人为国家工作委员会的成员，他们拥有具体但有限的决策权。

工会自成立以来发布了一系列报告。如1992年7月27日发布了《争取承认的斗争》，主要概述了工会为在本国得到认可所进行的一系列斗争。2009年4月到9月，工会分别发布了《笔记本计划：为教师消除信息技术鸿沟》《投票给非国大：所有内部原因》《南非民主教师工会欢迎新任部长》《职业的具体分配和薪资成功》四个报告。2014年5月13日，发布了《南非民主教师工会的历史》。2017年，全国教育合作信托组织（National Education Collaboration Trust，NECT）开始与南非民主教师工会合作，以改善东开普省和林波波省基础教育教学的水平。

南非民主教师工会明确了其工作任务：确保工会成员有效进行服务；通过成员的参与确保建立一个学习型的国家；通过建设民族国家以发展社会经

① Gabi Wills. Guest blog：Gabi Wills on “Teacher union membership in SA” [EB/OL]. 2015/12/24. https://nicspaull. com/2015/12/24/guest-blog-gabi-wills-on-teacher-union-membership-in-sa.

② History of SADTU[EB/OL]. http://www. sadtu. org. za/sites/default/files/pubs/history. pdf.

③ South African Democratic Teachers Union[EB/OL]. https://en. wikipedia. org/wiki/South_African_Democratic_Teachers_Union.

济；确保工人团结；依靠卓越的组织管理来确保成功。

在2030年以前，该组织将在教师专业发展方面开发如下项目：建立柯蒂斯·恩孔多专业发展学院；对所有与工会结盟的教师培训机构进行一个审计，向NEC提交一个报告，进行以教师为本的培训需求分析；设立一个教师培训影响分析项目；为教师开发一个在职培训项目；创造研究能力，更新教师培训项目。①

（二）南非全国专业教师组织（NAPTOSA）②

南非全国专业教师组织于2006年11月1日由劳动关系理事会注册为工会。该组织是教育行业内的第二大工会。在2012年12月已有大约50 000名工会成员。③

该组织成员享有该部门工会的所有权利。其领导者以联合工会的名义，在教育劳动关系理事会工作，在全南非有80多名员工。其核心理念在于为成员服务。主要任务有：改进并提升沟通频率；提供尖端的专业发展计划；增加处理成员查询和申诉问题的员工数量；为会员提供在分支机构、投资组合委员会、校长论坛、会议等发表意见的机会。

针对该组织中特殊教育需求的学习者和职业技术教育与培训学院部门，由位于豪登省的南非全国专业教师组织办公室提供服务。其业务骨干由南非前职业与特殊教育协会工作人员组成，并得到了全体员工专业和行政上的支持。

该组织号称是唯一真正代表南非人口特征的教育联盟。其优势在于会员拥有不同的背景。其成员受到专业精神和教育南非青年的共同承诺的约束。

该组织的主要目标：提倡建立不分肤色、语言、性别、宗教、种族、出身、社会阶层、政治信仰等平等的教育制度；推动建立侧重于学习者需求的

---

① SADTU. Strategic Goal Number1[EB/OL]. http://www. sadtu. org. za/sites/default/files/docs/strategic1. pdf.

② NAPTOSA. About NAPTOSA[EB/OL]. http://naptosa. org. za/about-naptosa/about-naptosa.

③ Gabi Wills. Guest blog：Gabi Wills on “Teacher union membership in SA” [EB/OL]. 2015/12/24. https://nicspaull. com/2015/12/24/guest-blog-gabi-wills-on-teacher-union-membership-in-sa.

教育系统；争取在南非建立一个公平的教育体系，以满足全体人民的需求和期望；争取建立和维护有效的义务教育；争取建立和维护免费的公共教育；坚持教育工作者的职业责任，引导学生学习知识和技能，充分发挥他们的创造潜力，以便他们成为负责任和自立的民主国家公民；确保员工的行为不会损害学习者的利益，同时保护会员罢工的基本权利；为其会员提供有效的服务；制定教育法规、教育政策，编制教育规划；努力保持和提升服务水准，为教学机构提供有效的咨询、集体谈判和商谈机制；支持教育工作者注册，促进教育工作者的专业发展；与家长、社区和其他机构合作，寻求卓越的教育；促进国际与国内各级部门各级的有效参与和互动；获取和传播相关信息；通过讲习班、研讨会和会议促进成员的发展；承担为实现上述目标而应用的基金或基金的财务责任，并采取行动筹集或获得资金；在追求其宗旨和目标时，提供集体声音，包括但不限于，根据情况需要，持续加强针对教育和教育部门员工的立法，加强评估和影响。

该组织致力贯彻以下原则：在公平和非歧视教育体系内，每个儿童和学生都能享有优质教育不可剥夺的权利；所有教育部门的员工应具有高度的专业水平；教育部门员工工作与生活的各个方面都能得到改善。

（三）全国教师工会①

全国教师工会是面向专业教育工作者的工会。它成立于1918年，具有悠久的历史。其宗旨如下：用创新的方法教育孩子们，通过创新实践把快乐带回教室。这一宗旨重申了其首要承诺，即维护儿童学习的权利。此宗旨还要求教师把欢乐带回教室。其隐含的事实是，教师必须首先体验自己的快乐，才能在课堂上向学习者传授快乐。正是这个重要特征使得该工会有别于其他工会。

全国教师工会专注于提高教师的专业地位，希望教师能带有职业尊严地去工作。它提出了六大原则：自立和自我发展，结社自由和组织权，受儿童学习权利启发的专业教学方法，政治和宗教不结盟，自主和独立，加强教育工作者工作和生活的各个方面。

---

① Our History[EB/OL]. http://natu. org. za/our-history.

（四）南非医生公务员协会

此外，也有一些教师加入南非医生公务员协会。该协会最初为在前德兰士瓦尔成立的医生与公务员协会。1989年，该协会与开普省医院协会合并，组成了南非医护人员协会。于1994年6月3日作为工会向劳工部注册。其后该组织将其业务扩展到自由州和夸祖鲁－纳塔尔省。1995年，它与纳塔尔省行政人员协会合并后，开始向教师和其他政府雇员开放，改名为南非医生公务员协会。该协会的愿景是，致力于各行业工人的团结。按照该协会的规章制度，追求人的尊严，并提供有效的服务，保护成员在工作场所和公民社会中的权利。其领导者使命在于：通过成员民主选举产生，从而为所有成员提供专业的服务，保护成员免受任何不公平的待遇；鼓励所有成员相互尊重，保护群体的尊严；改善民主劳动环境和社会，不受任何形势的不公平歧视，无论是在性别、宗教、种族、文化，还是政治信仰上，将有共同信仰、认可和期望的所有部门组织和团结起来。①

《国家发展规划2030》中提出，要提高工会领导的专业水平。如果教师工会领导缺乏专业水平，就很难为教师的专业发展提供指导。因而应提升工会为会员提供专业发展策略的能力。随着时间的推移，教育部门应授权专业发展机构与工会合作，提供持续的专业发展项目，以满足南非教育工作者理事会对教师继续教育的要求。

二、家长

南非鼓励不同种族的家长参与学校管理，并通过法律赋予了家长参与的权利。公立学校都按法律规定成立了学校董事会，董事会中有8位家长成员参与管理学校的日常事务。家长可以通过多种方式参与学校管理。如家长与学校日常的电话、信件交流，对学校各种政策进行问询等。家长参与有利于保障学生的民主权利。家长参与对学生的年度评估，辅导家庭作业有很大作用，也有利于提高学生的学习水平。

---

① Our History[EB/OL]. http://www. hospersa. co. za/about-hospersa.

2010年，南非基础教育部颁布了《2014行动计划》，提出在2025年南非教育需要达成的目标，并提出了5项优先目标。其中之一涉及学校治理和管理。希望通过学校管理的变革来改善学校环境，促进学校管理的规范化；采用信息技术分享重要信息，促进社区和家长参与学校管理。①

不过，现实情况并不乐观。根据2009年南非的人口普查数据发现，只有74%的学生的父母在世，且只有44%的孩子与父母住在一起。7%的学生的父母双亡，19%的学生与父母中的一方住在一起。由于贫穷和艾滋病感染率上升，导致越来越多的孤儿出现。②由此可知，南非学生家长参与学校管理的程度很低。

因此，南非制订了家长授权计划和学习者授权计划。家长授权计划旨在提高家长在子女教育中的参与度，而学习者授权计划则试图让学习者的领导者鼓励学习者为自己的学习负责。③由于这两个计划有利于父母和学习者参与积极性的提高，受到了省和地方的支持。

自2016年最后一个季度以来，南非全国教育合作信托组织一直与基础教育部合作，从家长授权计划开始，逐步将这两个计划扩展到所有学校。基础教育部和全国教育合作信托组织召开了宣传会议，包括五个省的320名巡回管理人员（Circuit managers）和学校管理人员参与了这次会议，会议决定在2017年4月至6月推出首批模块（见表3-1）。

---

① Department of Basic Education（DBE）. Action Plan To 2014-Towards the Realisation of Schooling 2025（full version）[R]. Pretoria：DBE. 2011：133.

② Department of Basic Education（DBE）. Action Plan To 2014-Towards the Realisation of Schooling 2025（full version）[R]. Pretoria：DBE. 2011：142.

③ The National Education Collaboration Trust （NECT）. Education collaboration reaches a third of the national system. Annual Report I 2016. p31-33. http://nect. org. za/publications/annual-reports/nect_ar16-web-27062017. pdf.

表 3-1　2017 年家长和学习者授权计划模块 [①]

家长授权模块	学习者授权模块
入门模块	入门模块
模块 1：教育对家长的重要性	模块 1：教育对学习者的重要性
模块 2：你在构建或阻止孩子的教育吗？	模块 2：你在构建或阻止自己的教育吗？
模块 3：纪律管理	模块 3：在学校中的欺凌
模块 4：在家读书写字	模块 4：阅读的重要性
模块 5：与学习者就学校情况交流	模块 5：与家长就学校情况交流
模块 6：与老师交流	模块 6：与老师交流
模块 7：出勤、时间管理、准时和家长的时间管理	模块 7：出勤、时间管理、准时和学习者的时间管理
模块 8：家长的决定和后果	模块 8：学习者的决定和后果

试点计划的结构包括：直接受益人的家长志愿者；与家长志愿者有关的4至6名同辈家长；与少数同龄人一起工作的学习领导者；每所学校由两名教师担任家委会协调员和学习领导协调员。

家长志愿者和学习者领导者的培训由全国教育合作信托组织开展，培训教师与地区评价者一起参加。地区评价者负责六区、120个试点学校的管理。平均而言，每所学校有13至20名家长志愿者和相同数量的学习领导者。

在南非较为富裕的学区，学校管理机构中的家长参与制度运行良好，家长参与积极性高，也具备一定的管理能力。但在贫穷的地区，家长受教育程度不高，参与积极性不够，也缺乏一定的参与能力。

① The National Education Collaboration Trust （NECT）. Education collaboration reaches a third of the national system. Annual Report I 2016. p31–33. http://nect. org. za/publications/annual–reports/nect_ar16–web–27062017. pdf .

第四章　南非基础教育治理

在基础教育治理过程中，公平和质量是主要的两大诉求。为了消除种族隔离的不良影响，南非对基础教育的公平问题特别重视。近年来，由于南非学生在各种国际测验中表现不佳，影响到高校的招生质量，人们开始注重基础教育质量问题。南非在基础教育治理实施过程中，通过吸纳社会组织参与治理，采取合作治理、协商治理、绩效治理和数字治理等方式来促进教育发展。

第一节　治理缘起

南非自废除种族隔离以来，非国大政府并没有采取平等、民主和均贫富的政策。其目的是在黑人中培养商业阶层，而不是提高贫困大众的经济地位。[①]白人与黑人之间的经济收入差距越来越大。其主要原因在于南非黑人接受高等教育的人数太少，以及其拥有的专业技能未能满足社会需求。与此相关的问题是，南非基础教育质量太差，普通中等教育未能为各类专业学校输送合格的毕业生。1999年以后，政府在社会各个领域实施平等政策。政府在基础教育领域强化了不分种族、性别的平等政策，以促进教育公平。

南非基础教育由基础阶段（学前R至三年级）、中级阶段（四至六年级）、高级阶段（七至九年级）组成。南非高中为十至十二年级，为继续教育与培训阶段。一学年有4个学期，每个学期10周左右。其中前3个学期是课程内容的学习，最后一个学期是复习。它既包括普通教育与培训阶段的教

① 加文·布拉德肖，黄觉．冲突之后的社会融合：南非十二年[J]．国际社会科学杂志（中文版）2008（3）：40-52.

育，即以升入高等教育阶段为直接目的的教育，也包括成人基础教育和成人扫盲教育。

一、发展不均衡

在种族隔离时代，在白人政府的领导下，教育经费主要由白人控制。不同群体、不同地区、城乡之间，在教育设施、教师条件、校风、入学机会、教材等方面，存在着巨大差异。在新南非成立后，促进教育均衡发展就成为了首要的目标。新南非第一个行动就是创办混合学校，消除种族隔离，以实现学校向所有肤色的学生开放。1994年，在曼德拉当选总统以后不久，南非政府就规定对14岁以下的儿童实施义务教育。但由于义务教育经费不足，义务教育并非免费教育。学校的收费标准根据学校的办学条件来确定。小学平均收费在100美元/年左右；办学条件良好的学校收费高达1 000美元/年。而普通工人的平均工资为400美元/年。

教育经费投入不足，导致不少学校被迫裁减教师。虽然入学人数得到了增长，但不少小学班级人数众多，有的高达150人。办学经费不足，也导致不少学校缺少优质的教材及充足的办公用品。政府虽承诺为所有的儿童提供免费教育，但这种状况到2006年后才得以改观。

（一）贫困黑人学生失学现象严重

由于历史的原因，南非公立学校对学生收取一定的学费。南非公立学校收取学费的做法可以追溯到种族隔离末期。由于白人经济条件好，所以白人学校的经济条件比黑人学校要好得多。收费制度导致了白人受教育水平远远高于黑人。在20世纪90年代初，南非白人当局启动了将白人公立学校移交给未来民主政府的过渡性措施。该项措施要求家长在3种资金来源情况不同的学校做出选择。[①]这三种学校的类型分别是：私立的，在3年内可分阶段得到45%的补助金；公立的，黑人学生和白人学生各占一半；国家援助性质的，75%办学经费来自政府，其余来自学费和私人捐赠。由于家长大多选择第二类学校，政府为了维护白人在教育上的优势，于是将第二类学校全

① 陈红梅．学费制度的合宪性之辩——以南非为个案［J］．西亚非洲，2007（9）：59-63.

部转为了第三类学校。这样使得在新南非掌握权力时，公立学校多采取收费制度。

新南非成立后所出台的国家教育政策，旨在对历史上种族隔离统治所造成的教育不合理局面进行大刀阔斧的改革，因而决定了国家要在不同的价值取向之间努力进行调适和制衡。例如新南非公立普通学校的拨款政策，自1996年11月《南非学校法》对公立普通学校的拨款规定始，到2011年1月《国家学校拨款制度和标准修订案》的相关规定止，其间历经近十次修改和调整。如此频繁的修改和调整，其目的在于使公立普通学校拨款政策在公平与效率之间寻求平衡。因为种族隔离统治时期，黑人学校与白人学校在获取政府拨款以及从学生家长收取的学费数额方面，一直存在巨大的差距，这使得黑人学校在基础设施、师资条件、生源质量等方面都与白人学校相距甚远。

《南非学校法》规定了所有7—15岁的儿童，都必须参加学校学习。九年义务教育制度就这样确立下来。2002年，教育部对《南非学校法》进行了修改，重新对进入公立学校和独立学校R年级和一年级学生的入学年龄作了修改，将最小入学年龄降低了6个月，义务教育的年限则保持不变。

《南非学校法》要求教育部制定学校减免学费的标准与程序，规定有全部减免、部分减免、不能减免和条件性减免等四种。[①]为了使黑人孩子不至因为贫穷而失学，《南非学校法》授权学校管理机构对贫困生的学费实行全部或部分减免。

为了有效解决教育经费不平等的问题，1998年南非政府颁布了《公立学校筹措资金的准则和标准》。政府将大部分教育经费投向黑人学校，保留了学费制度，以缓解资金不足的问题，并将收取的部分学费在不同学校之间进行重新分配。

在这两部法律实施10周年之际，“学费制度在南非引发了一场合宪性之辩。南非政府从立法技术、立宪史、宪法判例、立法目的等方面认为现行学

---

① 宋莉，丁秀棠．南非发展义务教育的主要理念和法律规定[J]. 中国冶金教育，2005（6）：82-84.

费制度是合宪的；而南非教育权规划委员会则从国际法义务的履行、法律实施的效果等方面，认为学费制度剥夺了贫困生的受教育权，侵犯了公民的受教育平等权，因而学费制度是违宪的”[①]。这次辩论指出了学费减免制度存在着减免额度过低、手续繁杂、门槛过高等问题。

为了让更多的孩子能上得起学，南非政府决定实施免费学校计划，并逐步增加提供免费教育的学校数量。《国家学校拨款制度与标准修订案》规定，将全国公立普通学校按其所在社区从贫困到富裕的程度，划分为5个等级，贫困程度越严重的学校，从政府得到的拨款就越多。它同时规定，学校对那些父母无力支付学费的学生要免收学费，而且将一些所在社区特别贫困的学校设置为免费学校。免费学校不允许收取学费。但由于国家财力所限，并须照顾到公立普通学校的发展效率，上述政策同时规定，除免费学校之外的其他学校都可以征收学费；而且征收学费的数额由学校管理人员与就读该校的学生家长协商决定。根据南非教育部2010年年度报告可知，目前60%以上的学校实现了免费教育；约800万学生在近2万所免费学校就读。[②]

（二）农村学校办学条件差

南非的基础教育发展存在着不少制约因素。由于南非不少学校年久失修，缺少水电设施等原因，不少校舍已被列为危房。2013年5月，南非基础教育部发起了“加速学校基础设施发展倡议”，呼吁改造学校危房，淘汰不良设备，翻新老旧校舍。根据“ASIDI 2011—2014年计划”，南非政府将投资82亿兰特（约合人民币65亿元），拆除并重建496所危房学校，为1 257所学校安装水电和卫生设施，为878所学校安装电力设施。[③]

学生缺乏包括书本在内的学习材料。这一现象在政府加大对基础教育的投资后得到缓解，但问题仍然存在。2004—2009年，南非统计局的数据表明，家长们抱怨学校缺少课本的现象已明显减少。但在特定学科，约有三分

① 陈红梅．学费制度的合宪性之辩——以南非为个案[J]．西亚非洲，2007（9）：59-63.

② 蓝建．南非的“免费学校计划”[J]．教育，2011（17）：64.

③ “ASIDI 2011—2014年计划”应为加快学校基础设施支付倡议国家产出计划2011—2014（Accelerated Schools Infrastrncture Delivery Initiatire（ASIDI）National outputs plan 2011—2014）.

之一的小学生人均拥有的课本数小于1。大部分学生不能把课本带回家，这在某种程度上严重阻碍了学生的学习。政府应加强对教科书的评估，为各省和学校选择合适的书本，避免一些质量差的资料进入学校。①

为此，南非政府实行了直接干预措施：国家为所有公立学校R至九年级的所有学生提供高质量的国家标准课本。这些课本较好地体现了成本效益，确保了学习内容深度和广度的最低标准；学习内容被传递给师生并取得了良好的反响，受到师生的欢迎。同时，也提醒师生书本不是唯一的学习材料，教与学应不限于课本之内。

另外，国家发布了在特定领域适用的更为详细的教科书指导方针，加快了省级政府和学校选择教科书的进度。南非政府还引入更严格的监督机制，为学生教科书缺乏情况提供一个“清晰的画面”。引入“最小书包”基准，明确各年级学生学习材料的最低标准。它将用在对学生教科书是否适当的评价标准当中。经费及时到账以便采购教科书，以及教科书的及时发放，也在监控之列。

农村教育条件简陋，城乡教育存在着较大差距。由于种族隔离制度，政府对黑人聚居的广大农村采取经济、社会和政治的隔离、排斥和边缘化的政策，这导致农村处于贫困和不发达的状态。1994年，新南非成立后，政府对农村采取一些倾斜政策，进行了土地改革。2009年，非洲国民大会选举宣言承诺重点发展农村，其中包括改善政府服务，涉及教育、健康与卫生状况等方面。随后，选举后的新南非出台了农村全面发展项目。为了达到千年发展目标，在2015年前，将饥饿和贫穷人口减半，以及实现全面普及小学教育，政府非常重视农村教育发展。

在农村地区，由于自然条件和师资缺乏，存在不少复式班级。复式教学是不少发展中国家农村教学的主要方式，以应对师资缺乏、办学经费紧张的问题。在南非农村地区，复式教学非常流行。据统计，2009年，南非农村有

---

① Department of Basic Education（DBE）. Delivery Agreement For Outcome 1：Improved Quality of Basic Education[R]. 2010：13.

7 000所学校采取复式教学。即有四分之一的学生就读于复式学校。[①]有研究表明，30%的复式班级的学生仅有一名教师任教。[②]当前的国家课程标准只是针对一个年级的课堂教学。复式教学需要教师为不同年级的学生进行教学准备。这对于教师来说非常费时。而且南非农村教师的教学能力与城市教师相比，有较大差距，导致教师工作积极性不高，复式教学效率较低，教师难以根据具体的情境或学生的需要来进行教学。以上基础教育中存在的问题，跟部分家庭调查所反映的情况相一致（见图4-1）。

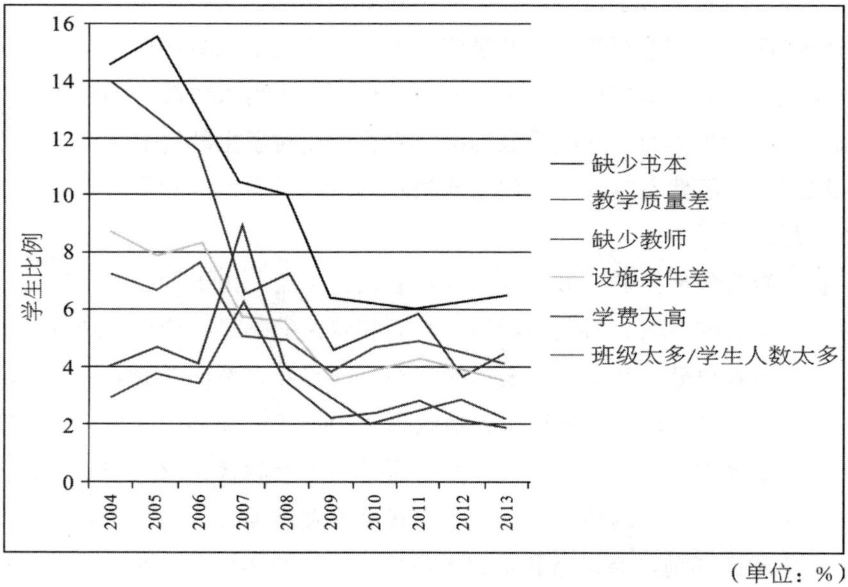

（单位：%）

图 4-1　根据家庭调查所反映的南非基础教育问题统计图[③]

① Jurie Joubert. Multi-grade teaching in South Africa[J]. Commonwealth Education Partnerships, 2010：58-62.

② Matshidiso Taole and Vusi S. Mncube. Multi-grade Teaching and Quality of Education in South African Rural Schools：Educators' Experiences[J]. Stud Tribes Tribals，2012，10（2）：151-162.

③ Department of Basic Education. Action Plan to 2019：Towards the Realisation of Schooling 2030 [R]. 2015：14.

在偏远的农村学校，教师每月要花去三天左右时间去领取工资。有的学校在发工资期间，全校只留下一名教师看管孩子。这影响了教学的顺利进行。虽然政府通过银行来发放教师工资，但工作地点附近没有银行，他们还需要领取现金。有的地方开始采取流动银行的方式，来给教师发放工资，让教师及时领到工资。

在南非农村地区，学校路途遥远，又缺乏交通设施，导致学生上学非常困难，阻碍了全民教育的实现。南非的9个省中有8个省实施了“学生交通计划”。各省每年预算内用于“学生交通计划”的费用从100万兰特到1亿兰特不等。全国约有19万学生受益。虽然各地提供的交通工具参差不齐，从公共汽车到自行车甚至驴车，但这些形式的交通工具对学生入学都发挥了重要作用。

二、质量堪忧

在种族隔离时期，黑人享受高等教育甚至中等教育的机会都非常有限。其学习的课程仅限于宗教和历史等课程；自然科学课程不在教授之列。这形成了恶性循环，导致种族隔离废除后，南非中小学的自然科学教学水平不高，质量很差，且在种族隔离废除后10多年并未有明显的变化。在新南非取消入学限制后，黑人学生能坚持完成高中毕业的学生并不多。在高中毕业考试中，选择数学和科学学科高水平考试且能够通过并进入高校就读的黑人学生很少。

表4-1是1999年和2003年，在国际教育成就评价协会组织的国际数学和科学趋势测评中，南非八年级学生的两次测试成绩。

表 4-1　南非八年级学生在国际数学和科学趋势测评项目中的成绩表（1999 年、2003 年）[①]

	数学成绩		科学成绩	
	1999 年	2003 年	1999 年	2003 年
国际平均成绩	487	467	488	474
南非的平均成绩	275	264	243	244
前白人学校的平均成绩	—	456	—	468
前黑人学校的平均成绩	—	227	—	200

从表4-1可以看出，南非白人学校学生的水平略低于国际水准；而黑人学校学生的成绩远远低于国际水准。

在黑人居住的农村学校，80%以上缺乏基本的教学设备，也缺少合格教师，以及能发挥作用的学校管理机构。学校毕业考试通过率通常在30%以下。2011—2012年，南非基础教育部对600万一至六年级的学生阅读和数学进行了考试。年度考试显示南非学生的成绩表现存在着严重问题。大部分薄弱学校三年级学生的语言成绩得分在35%，数学得分在28%。六年级学生语言得分为28%，数学得分在30%。研究表明，大部分薄弱社区的学生没有掌握基本的阅读和数学技巧。事实上，大部分六年级学生的数学和语文能力只能达到三年级水平。[②]

总之，南非基础教育面临着诸多问题，主要表现在教师数量和质量不足。由于待遇低下，不少教师消极怠工和旷工现象也很严重。为此，南非基础教育部不得不要求："教师应该准时在学校和班级进行教学。"

---

① 王琳璞，毛锡龙，张屹．南非教育战略研究[M]. 杭州：浙江教育出版社，2014：37.（1994年前后就已经有一部分黑人中产阶级和新贵的子女进入了前白人学校，而前黑人学校则几乎仍然是清一色的黑人学生。）

② Moeketsi Letseka. South African education has promises to keep and miles to go[J]. Kappa，2013（3）：74–75.

第二节　治理措施

21世纪以来，南非政府已经采取多种措施来提升基础教育的质量和促进教育公平。南非教育部提出了“以结果为本位”的课程改革计划，以实施绩效治理，强调绩效与责任，推进学校治理现代化。2009年，雅各布·祖马当选为南非总统，开始了新一轮的国家发展规划的编制。他将国家教育部一分为二：基础教育部和高等教育与培训部，并加强了对基础教育的控制。在2010年的内阁会议上，祖马确定于2010—2014年，实施以结果为导向的国家发展战略的优先目标，重点在于提高教育质量。2010年，南非政府推出了全面提高教育质量的《2014行动计划》报告，阐明政府在未来4年中发展基础教育的目标。随着信息技术的广泛运用，南非基础教育开始采用数字治理，以提高教育治理水平和教育质量。

一、课程改革

南非以结果为本位的课程改革旨在提高教育质量。它从以课程内容为本位模式的教育，转向注重教学效果。它强调以学生为中心，关注学生需要什么、应该掌握哪些知识、应该成为什么样的人等方面的内容。

（一）课程改革的背景

南非种族隔离政府根据种族、地域将全国划分为19个教育部门，针对白人、黑人、印裔和有色人种，分别建立起4种不同的教育体制（华裔人数很少，被划分在印裔之列）。这种教育体制贯穿着白人至上的观念。儿童学习的课程也充满了种族歧视的色彩。在1994年新南非政府成立后，对充满种族主义歧视的课程进行改革已势在必行。

此后，南非政府颁布了一系列教育法令。1995年，南非政府颁布了《教育与培训》白皮书和《南非资格认定法案》；1996年，颁布了《国家教育政策法案》和《南非学校法案》。为了更好地实施这些法案，1996年，南非颁布了课程报告《建立国家课程框架，实现终身教育》。

1997年，南非教育部长作了题为《2005课程：21世纪的终身教育》的报告，将课程改革的时间定在2005年。新课程改革提倡课程的综合化，将传统的学科课程进行整合，分为语言、读写和交流，数学读写、数学和数学科学，自然科学，技术，人文和社会科学，经济和管理科学，艺术和文化，生活方向8个学习领域。该报告描绘了国家课程的远景：新南非的教育需要实现一种从以内容为本转向以结果为本位的范式，以促进建设一个繁荣、民主、真正团结且具有国际竞争力的国家，培养一批有文化、有创新能力和批判精神的合格公民，进而使他们在一个无犯罪、无歧视和无偏见的国家里能够充分发挥自己的潜能，过上丰富多彩的生活。①

由于南非各地的教育资源分布不均衡，教学质量差异较大，不太注重教学的方式和过程，主要以教育评价结果来作为课程实施的依据。这对教育均衡发展，能起到一定的积极作用。因而南非在课程评价中强调以结果为本位。课程设计的原则，是提倡民主平等，强调“民族建设与歧视消除”；要求包容和多元文化，将民族和解与民族平等渗透到教育教学的各个环节中去；要求根据学习者不同的价值观念、生活方式来制订学习计划，尊重多元文化、语言传统和宗教信仰。

针对教育系统内存在的缺陷，尤其是教育体系和政策方针中存在的问题，教育部多次修订课程政策。2000年5月，教育部发表了《2005年课程评审委员会报告：21世纪南非课程》。经过修改和调整，2002年5月，南非教育部发表了《学前班至九年级国家课程报告（修订稿）》。②它保留了前者关于课程改革的原则、目标和实质的规定，重点强调实施“以学习结果为本的教育”。此次课程改革的一个焦点是，中央政府收回了地方教育部门对教育的决策权，改变了课程实施过程中质量不均衡的状况，使南非的课程实施走上了规范化的道路。

“以结果为本位”是由美国学者威廉·斯巴迪（William Spady）提出来的。他认为，“以结果为本位”的教育是指，在教育系统中，围绕对于学生来说最基础，且在他们学习结束时，所有的学生都能获得成功的内容，来清

① Goodnight R. Lifelong Learning for the 21st Century[J]. Computers，1996：4.

② Department of Education. Revised National Curriculum Statement Grades R-9 （Schools）Overview [R]. 2002.

晰地集中组织一切。[①]这要求在进行教学之前，就必须弄清哪些知识对于学生来说是重要的，而且他们又有能力掌握，以据此来组织课程、教学和展开评价。“结果”意味着，在学习活动结束时，学生将其所知和所学，通过行动表现出来，是一种对学习经验实实在在的运用，而非学生在情感、态度、价值观、心理状态等方面达到的目标。这说明结果是行动和表现，是学习者运用所学的知识、信息、观点和工具等体现出来的能力。“以结果为本位”的关键在于：开发一个可达到清晰学习目标，在系统内创造条件和机会，让学生达到学习目标的教育系统。

（二）课程改革立法

《宪法》表达了民主南非的社会价值观念，以及国家对每个公民应承担的角色、权利和责任感的期望与要求。《宪法》第二章的《权利法案》，突出强调了个人的平等权利、人类的尊严、人身自由与安全的权利，强调每个人都有摆脱贫穷、孤独、饥饿和增进身心健康的权利。[②]这也是实施课程改革的终极目标。

政府通过制定各种教育法令，规定了课程改革的愿景、目标和原则。2001年，南非教育部提出了《关于价值观、教育与民主的宣言》。该宣言明确了《宪法》的10条基本准则：民主，平等，社会公正，无种族、性别歧视，人类尊严，开放社会，责任感，尊重，法治，和谐一致。为使南非青少年熟悉以上准则，《宣言》还进一步提出了16项教育策略：其一，形成一种信息交流和参与学校活动的文化；其二，行为榜样，提倡教师的奉献精神，增强教师的能力素养；其三，确保每个南非公民能读会写、计算和思考；其四，使课堂教学充满人权文化；其五，使艺术与文化成为课程的一部分；其六，把历史放回到课程之中；其七，了解南非统一后所呈现的丰富多彩的文化、信念和世界观；其八，促使多种语言并存；其九，开展体育运动，增强社会凝聚力，促进民族建设；其十，确保教育机会平等；其十一，

① William Spady. Outcomes-Based Education：Critical Issues and Answers [R]. Arlington：The American Association of School Administration，1994：1.

② Government Gazette constitution of the Republic of South Africa，1996，As adopted on 8 May 1996 and amended on 11 October by constitutional Assembly（Act 108 of 1996）[R].

加强学校反种族歧视教育；其十二，充分挖掘男、女儿童的潜力；其十三，培养学生具有性文化意识和社会责任感，防止艾滋病毒的滋生与传播；其十四，制定法规，使学校成为教书育人的安全场所；其十五，加强道德环境建设；其十六，加强新时期的爱国主义教育，维护公民的共同权利。①

《学前班至九年级国家课程报告（修订稿）》的出台表明，南非初等教育的课程改革打破了种族隔离的决策传统，改变了过去主要依靠“科学专家”的力量，采用“自上而下”的决策过程，表明新南非政府课程决策公开、透明。②它强调赋予地方更多的权力，注重地方特色和多元化。

自1996年南非课程标准颁布以来，遇到了各种的挑战，标准的实施，也在不断的磨合之中。因此，教育部任命了一个部长任务小组，调查R至十二年级教师在实施课程标准中遇到的困难。最后，该小组提出了一份调查报告。2009年10月，该报告得到了教育部的支持。该报告指出，要开发一套面向所有课程的学科标准，来取代当前课程实施的3份文件。经过两年的调整与修正，2012年1月，南非正式颁布了新的国家课程标准——《课程与评价标准》，取代原有较为复杂的《国家课程标准》，对南非R至十二年级的课程标准进行改革，以更好地促进南非教育及社会经济的发展。

该课程评价标准明确了学生应该掌握的知识、技能和价值观：能发现问题，解决问题，运用批判性思维与创造性思维做出决定；学会与他人合作；高效地、负责地组织管理好个人行为；收集、分析、组织外界信息，并批判地对待；在不同模式中运用视觉技能、表征技能、语言技能，实现有效沟通；掌握并运用科学技术，对环境与他人的健康负责；理解世界是互相联系、密不可分的统一体，任何事物都不是孤立地存在于世界中的。

《课程与评价标准》还提出了在实施过程中所有学科需要遵守的原则：其一，实现社会转型。改变教育不均衡发展现状，促进教育均衡发展，全体国民享有均等的受教育机会。其二，主动学习与批判学习。鼓励主动学习与批判学

---

① Kader Asmal MP. Manifesto on Values , Education and Democracy[R]. https://www. gov. za/documents/manifesto-values-education-and-democracy.

② 李旭．当前南非初等教育国家课程政策鸟瞰[J]．西亚非洲，2004（6）：64-68.

习，反对死记硬背、不假思考的填鸭式学习。其三，高标准的知识与技能。所有科目中既有学生都应掌握的最低标准的知识与技能，也有高标准但能被学生所掌握的知识与技能。其四，知识内容具有递进性。各年级之间的学习内容与文化背景应具有从简单到复杂的递进性。其五，注重人权、包容性与社会环境正义。将南非《宪法》中所规定的有关社会环境正义和人权的原则和法规落到实处。其六，注重本土知识体系。意识到本土丰富的历史文化遗产可作为重要素材，用以培养学生对传统文化的理解和热爱。其七，公信力、高质量、有效率。为学生提供在质量、宽度与深度三方面的优质教育。①

（三）强化对课程的绩效评估

南非在基础教育课程改革中，非常重视对课程的评估工作。为了更好地评价学生的成绩，国家还制定了相关法案，如《国家评价法案》《一至十二年级学生进步与发展要求》和《课程具体考试指南》等，以保障课程科学评价的落实。

自2012年以来，南非基础教育部每年发布全国学生的考试成绩，尤其是公布一至六年级以及九年级学生数学与语言课程的考试成绩。②

“以结果为本位”的课程改革实施后，提高了学生的成绩。如对学生科学课成绩的研究显示，南非全国一至十二年级的科学统考，考试通过率达到60%及以上的学校，已从38%上升到50%，通过率达到40%—59%的学校比例减少到占全部学校的23%。但还有9%的学校通过率在16%以下。③

南非基础教育部在《课程与评价标准》框架内，制订了各科课程规划，阐述了各科课程应达到的目标，详细规定了课时分配及教学内容，并提供了课程的具体评价标准。该标准分为初级（学前至三年级）、中间年级（四

① 王琳琳．南非颁布国家《课程与评价标准》[J]．课程．教材．教法，2014（9）：36.

② Basic Education of Department. Report on the Annual National Assessment of 2014 Grades 1 To 6 & 9[R]. 2014：8. http://www. education. gov. za/Curriculum/Annual National Assessments（ANA）. aspx.

③ Mary Grace Flores Villanueva. Integrated Teaching Strategies Model For Improved Scientific Literacy In Second-language Learners[R]. Sociedade Brasileira De Física，2010.

至六年级）和高年级（七至九年级）。[①]《课程与评价标准》认为评价是一个连续收集和解释学习者信息的过程。它包括四个步骤：收集信息；评估信息；解释并记录信息；调整教学过程，促进学生发展，提高学生的学习成绩。课程评估的结果，需及时向教师反馈，以便教师改进教学。以小学科学课程为例，每个科学实践活动课程后面，都附有评估标准。例如：四年级学习生命系统时要制作动物居所。内容标准中规定了完成这项任务的评估要求，包括实际任务、所用知识与技能的范围、应达的课程目标、正式与非正式的评估方式等。[②]

此外，基础教育部还出台专项行动计划来提升教学质量。如针对学生阅读能力偏弱的问题，基础教育部组织了英文拼写大赛，以促进学生热爱阅读和写作，纠正学生的拼写错误，处理导致学生表现不佳的拼写教学中的巨大差异，灌输一种将阅读作为愉悦的文学活动思想，为他们将来的学术活动打下坚实的基础。[③]

为了更好地促进课程的实施，教育部成立了评价管理和考试行政总局。其下有两个附属机构，即评价管理处和考试行政处。评价管理需要利用国家的评价系统来完善省级的评价制度，确保有效和有效率地实施评价政策。评估主任、省评估办公室的其他评价者与学区的评估协调员组成了一个省级评估委员会。他们每月见面一次，讨论与评估政策实施相关的问题。每个学区都成立了类似的评价委员会，包括学区评价协调员、普通教育与培训协调员、继续教育与培训协调员等。[④]

人文科学研究委员会的研究报告表明，在评价政策实施过程中，直接负

---

① Basic Education of Department. Curriculum Assessment Policy Statements （CAPS）[EB/OL]. http://www. education. gov. za/Curriculum/Curriculum Assessment Policy Statements（CAPS）/ tabid/420/Default. aspx.

② 赵立．中国与南非小学课程科学标准比较研究[D]. 扬州：扬州大学，2014：36.

③ Foundations for Learning Assessment Framework Grade R. https://www. education. gov. za/ Portals/0/Documents/Manuals/Spelling%20BEE%202017%20participating%20Manual. pdf?ver=2018-04-13-151145-170.

④ N. Diko，G. Haupt，M. R. M. Molefe. Reviewing the role of the provincial and district offices in the implementation of assessment policies in the Gauteng and Western Cape provinces[R]. HSRC. 2011：28. http://www. hsrc. ac. za/en/research-data/view/5353.

责评价的工作人员以及中上层评价管理人员对评价充满热情，能深入和详细地了解评价政策。他们清楚地懂得课程和评价是一体的。评价不是目的，而是促进学习的一种方式。一些评价者缺乏对评价政策的理解，以至于在运用它来促进教师的发展方面缺乏自信。并非所有的评价者都理解学校日常观察的价值。因为缺乏可信赖的日常和可供使用的数据，评价者只能依赖最后的考试成绩而非全年收集的信息来评价学校。①但评价者不能完全依赖于考试来促进教师改进教学。大学、非政府组织以及其他组织，应该训练和支持评价者，帮助他们掌握评价的技巧。

（四）注重知识本土化

南非曾经历过英国多年的殖民，受英国教育的影响很大。在治理过程中，新南非政府强调教育的国际视野与本土实践的结合，并将此思想贯彻于教育治理的各个细节。如在课程改革中颁布的《南非课程与评价政策标准》，简化了原先过于复杂的《国家课程标准》。在科学课程的每个主题的内容标准中，都尽量将科学技术知识与本土文化相融合。一方面，运用现代科技提高完善本土知识；另一方面，尽量挖掘本土素材中的科技信息，利用本土素材向学生讲述有关科学技术方面的知识。尤其体现在综合实践方面，南非在课程标准中还清楚地标注了与当地有关的科学知识。如：在四年级学生学习“声音”这个主题时，教师让学生比较几个当地传统乐器的发声原理，并且要求学生制作一个简单的传统乐器。又如：六年级学生学习运动这个主题时，教师指导学生识别当地的一种机器运行的方式。②同时，将科学知识与技术知识相融合。一方面，顺应了国际发展的趋势，将科学知识的普及与技能的掌握放在同等地位，引导学生探究问题，提高解决问题的技能；另一方面，强调实际运用。因为南非黑人学生在毕业后大多数不能升入大学，他们对技术的了解，有利于将来的就业。

南非的基础教育课程改革建立了一个全国统一的课程体系，使得重视教

① N. Diko，G. Haupt，M. R. M. Molefe. Reviewing the role of the provincial and district offices in the implementation of assessment policies in the Gauteng and Western Cape provinces[R]，HSRC. 2011：36–37.

② 赵立．中国与南非小学课程科学标准比较研究[D]．扬州：扬州大学，2014：33.

学质量深入人心。但总体来说，南非这次改革并未达到预期的效果。

（五）推行“以结果为本位”教学法

南非“以结果为本位”的课程改革，存在着缺乏有力的外部支持，尤其是缺乏充足的财政支持，还有教师缺乏相应的培训，教师准备不足等问题。有研究者对实施“以结果为本位”的八年级英语教学进行了考察。该课程以母语为非英语的学生为教学对象，旨在发展学习者在真实环境下运用英语的能力。但教师仍然采取传统的教学模式，而且学生在课堂外不使用英语，导致教学效果不佳。因而，应加强教学策略培训，以促进学生在课外使用英语。①

奥尔德里奇（Aldrige）等人对林波波省的研究，比较参与“以结果为本位”和未参与“以结果为本位”的教师对学校环境的感知度发现，前者虽然对“以结果为本位”教育更熟悉，但工作压力更大。②

有调查发现，由于多数教师没有充分地接受过有关“以结果为本位”教学方法的培训，中小学课堂与新课程改革之前并无差异：课堂充斥着教师满堂灌和低水平问题；缺乏诸如调研、关系理解和刺激好奇心等提升技能的活动。有一些涉及真实生活的例子，但仅限于表面水平；缺少小组合作学习；少有涉及读写训练，即使有也是停留在粗浅层面。③

总体而言，虽然南非“以结果为本位”教育政策在设计上存在欠缺，实施力度也很弱；但是，它仍然对国民教育制度产生了深刻影响，大多数南非学校的基础设施建设和教学组织形式都发生了变化。④与种族隔离时期“以内容为本位”的教育相比，教师在课程理念、课程决策、教学方法和评价方式等方面，均有很大改观，影响了教师的课程决策方式，以及课程观、学习观、师生观和评价观。

---

① Gawie Schlebusch & Motsamai Thobedi. Outcomes-based Education in the English Second Language Classroom in South Africa[J]. The Qualitative Report，2004，9（1）：3548.

② 龙秀．民主南非基础教育课程改革研究[D]．金华：浙江师范大学，2013：9.

③ 田腾飞．社会变革背景下南非的教师教育研究[D]．重庆：西南大学，2012：123.

④ 康叶钦．教育政策借鉴的四步模型研究：以南非“结果本位”教育改革为例[J]．外国教育研究，2013（1）：25-30.

二、与专业组织合作治理

南非政府为提高教育质量，开始引进专业组织并吸纳非政府组织、商业机构参与基础教育治理。

（一）年度国家评估

2008年，南非教育部引进了发展中国家常用的《标准化年度国家评估》项目。该评估项目要求南非基础教育阶段（一至六年级）的学生，参加校外组织的标准化考试，主要考查学生在写作、计算等方面的能力。考试结果交由第三方评估。国家会选择各地有代表性的学校参加评估。2010年，九年级的学生也加入了该项评估。引进年度国家评估成为了南非基础教育质量发展的一个里程碑。它能为学生的成绩提供一个具有可信度的检测，为教师改进教学提供依据，也便于学区评价者、家长以及社会了解教育质量。

南非政府希望运用年度国家评估，对学校产生四个方面的积极影响：使教师在学校更注重良好的教学实践；使地区政府更加关注需要帮助的学校；鼓励学校向良好的方向发展；使父母掌握孩子的重要教育信息。如此，学校、教师和父母就能清楚地知道，应当采取怎样的措施来提高学生的学习质量，使学生在基础教育阶段获得坚实的成长。①

南非政府将测试的副本发到每一所学校，通过与各专业组织和社会机构，如人文科学研究委员会和大学等机构合作，对学校进行评估。并且将评估的结果予以公开，让更多的人了解评估项目，促进教育政策的改进。教育部设定了国家和各省所应达到的目标。

（二）全国教育合作信托组织参与教育治理

2013年7月，为了回应《国家发展规划2030》，并促进教育利益相关者之间的合作，以提升教育效果的要求，由南非时任副总统卡莱马·莫特兰蒂发起，南非成立了全国教育合作信托组织。该组织旨在促进政府、商业部门、劳工组织、民间组织等在改善教育效果时形成良性伙伴关系。其6个活动主题体现在教育合作框架之中，从而引导项目的设计与干预。

---

① 蔡连玉，苏鑫．南非基础教育质量提升的路径[J]．比较教育研究，2014（12）：92-97.

这6个主题如下：教师服务的专业化；支持无畏的领导；提高政府的交付能力；改善教育资源；吸纳家长和社区参与教育；提高对学习者的支持，让他们获得幸福。它们分属5个项目领域：地区干预项目、系统干预项目、创新项目、地方项目、南非教育对话项目。所有的主题都可以在每个项目中得到体现。①

全国教育合作信托组织通过与社区、学校管理机构、学校管理者、教师、地方学区、家长的合作，以达到国家发展计划的要求，使所有的学习者都达到学习目标。

2014年，全国教育合作信托组织采取试点，以促进成功的实践展示。2014年的最佳服务项目是学区和学校规划系统。该系统旨在鼓励学区办公室和学校提升集体能力，为学校提供服务和支持。全国教育合作信托组织为学区制定了一个对功能和绩效进行自我评价的工具。这个创新的过程被称为基础绩效评估。基础绩效评估的目的在于：为功能齐全、设施完善的学区和学校构建一个适当的基础；重新审视和强化绩效标准；给学区评价者和学校管理人员创造机会，进行集体反思和参与；确定和讨论提高能力的需求和要求，以支持学校和课堂；为不同层级的主要指标生成绩效表格，在3至5年的以数据为本的改进计划中，将此作为一个收集和处理相关数据的工具和方法。

该过程由基础教育部创造，是基于学区功能发挥的政策和标准。学区基础绩效主要由10个关键能力构成：其一，人力资源的有效利用和管理；其二，学校支持的结构和过程；其三，数据管理和使用；其四，学区办公室的组织文化；其五，学校资源配置；其六，规划与绩效管理；其七，办公室基础设施与设备；其八，课程管理；其九，促进学校管理与领导；其十，顾客关怀与人际关系，学区确定主要指标，并进行跟踪调查。在评价过程中，由个体汇报和学区办公室领导小组提出制订学区发展改进计划。

基础绩效评估系统呈现在一个数字平台上，以备更大规模地运用。2016年下半年以来，基础教育部将它的规模逐渐扩大，2017年已被26个学区使

① National Education Collaboration Trust. Program Overview[EB/OL]. http://nect. org. za/what-we-do/programme-overview.

用。其中，在6个学区的415所学校中成功使用。为了加强对学校的规划，全国教育合作信托投资基金开发了一个学校管理评估系统。该系统现正在进行测试。它有利于学校与学区之间的上下协调与交流。①

该系统中的课程管理系统在1 500所学校中得到广泛运用。也就是说，在86个学区内，有一半以上的学校加入了该评价系统。学校管理者对全国教育合作信托组织的先行计划越来越感兴趣。他们高度关注信托组织开发的课程评价管理工具。全国教育合作信托组织研究发现，课程评价的效果，以及学校对绩效的重视程度，改变了学校的绩效文化，进而提升了学校和学区的教育质量。南非民主教师工会同意实施这一项目，是在学校建立绩效文化方面的重要举措。

全国教育合作信托组织项目获得认可后，不仅增加了教育投资，还提升了教师的活动水平，而且也有利于在教师、校长和评价者中建立一个专业合作的文化。系统中的上下级与同级关系能够更协调。如此，从课堂到学校管理，直到学区、省、国家层面都被强化了。

全国教育合作信托组织项目也重视教育实验。2014年，该项目在教育实验施行的第一年，设计和测验了415所新开办的学校，它可与强大的评价系统结合，收集这些现行计划实施有效性的证据。2015年，夸祖鲁－纳塔尔省的学区全部加入试点，试点学校增加到1 532所。

2016年最后一个季度，全国教育合作信托组织项目推广到8个目标学区，共增加了1 670所学校。2017年，已达6 817所学校，约占公立学校的28.5%，即全国86个学区的50%以上的学校加入了该项目。②

全国教育合作信托组织强调合作，通过集体参与和公民社会的合作来提高绩效。这代表了治理的一种新模式。它基于集体参与与共同努力来提升教

① The National Education Collaboration Trust （NECT）. Education collaboration reaches a third of the national system. Annual Report I[R]. 2016：31. http://nect. org. za/publications/annual-reports/nect_ar16-web-27062017. pdf.

② The National Education Collaboration Trust （NECT）. Education collaboration reaches a third of the national system. Annual Report I[R]. 2016：23. http://nect. org. za/publications/annual-reports/nect_ar16-web-27062017. pdf.

育系统的绩效水平。这种方法不仅促进了技术和材料的聚集，而且创造了一种独一无二的权威的形式。它允许利益相关者讨论工作理念的差异，通力合作以找到共同立场来开展工作。它基于一种信念，每个南非人都愿意为教育下一代承担责任。这也是变革理论的核心所在，每一种治理结构都基于此来进行设计。在国家层面的赞助人和理事，以及每个涉及全国教育合作信托组织合作学区的指导委员会，都由主要的利益相关者代表，包括商业、政府、劳动部门和公民社会结构，如青年组织、传统和宗教领导等组成。[①]

全国教育合作信托组织建立了一个合作伙伴论坛，代表私立和非政府组织。论坛的目的是为出资者以及合作伙伴提供机会，使他们深入了解教育改进的规划、活动和约定。

三、教育信息化治理

（一）出台教育信息化治理政策

2004 年，南非教育部颁布了教育信息化白皮书《利用信息技术转变教学方式》。[②]这表明了南非政府对基础教育信息化的关注。其目的在于确保基础教育领域中每个学校都能够获得多元化的选择；高质量的信息服务，将惠及所有学习者和他们的社区；强化终身学习，为所有人提供无限的个人成长和发展机会。

教育信息化将信息技术作为重新组织学校的资源，并且是协助学校发展的工具。作为管理工具，整合课程资源；作为沟通工具，为教师和学习者提供协作，促进创造力的发挥，并形成沟通、协作和参与的学习环境。

2015年，南非基础教育部发布了《2019行动计划：实现2030年的学校

① The National Education Collaboration Trust （NECT）. Education collaboration reaches a third of the national system. Annual Report I [R]. 2016：37. http://nect. org. za/publications/annual-reports/nect_ar16-web-27062017. pdf.

② White Paper 7 on e-Education：Transforming Learning and Teaching through Information and Communication Technologies（ICTs）. https://www. education. gov. za/Portals/0/Documents/Legislation/White%20paper/DoE%20White%20Paper%207. pdf?ver=2008-03-05-111708-000，2004.

教育》，这是对《2014行动计划》的更新。该计划提出了详细的五年计划和十五年的规划。它要求到2030年，每一所南非的学校都应该大规模地运用计算机进行学习。从三年级起，所有学习者都具有运用计算机的能力；学校里的计算机是学习者和老师获取信息的重要媒介。为达到学习和教学材料质和量的要求，这份计划包括27个目标，有5个目标是优先目标。而其中一个就是更好地利用教育信息化技术。

自2004年以来，信息化在南非基础教育领域发挥了重要作用。2011年，国际数学和科学研究走向数据显示，在过去十年左右，南非学校计算机的使用率大幅提高。2011年，有49%的九年级学生可以在学校使用计算机；而2002年为28%。然而，同样的TIMSS数据显示，在2011年南非远远落后于其他发展中国家。如博茨瓦纳的这一数据为86%，加纳为78%，印度尼西亚为82%。

在中等教育阶段，南非许多学校开设有计算机应用技术和信息技术这两门学科。

2004年发布的教育信息化白皮书指出，信息化教育将应用于基础教育的学校管理中。2013年，南非基础教育部联合迈克尔和苏珊·戴尔基金会[①]发布的《数字成功：如何利用数据释放南非R至十二公立学校系统的潜力》。该报告调查了9个省，涵盖18个地区和48所学校，进行了300次采访，从教师和学校行政人员到省和国家部门领导者广泛参与。这是理解信息和信息技术如何促进教育行政系统改善、推进基础教育治理的一个里程碑。

（二）信息化治理的政策框架

1. 教育公平

信息技术在教育中的使用，始终涉及资源分配的选择。运用数字技术可以通过制定技术基准来解决公平问题。

---

① Michael & Susan Dell Foundation，成立于1999年。在美国德克萨斯州奥斯汀、印度新德里以及南非开普敦设有办事处，戴尔家族基金会资助旨在促进高质量公共教育和儿童健康的项目。

2. 信息技术的基础设施

信息技术的影响和有效性取决于最终用户的使用程度。学习者、教师、学校管理人员和信息技术管理员，可以随时访问硬件和软件。学习者必须定期访问可靠的基础设施。

3. 能力建设

任何信息技术的整合，都要求教师重新思考和重塑他们对课程的设计。许多教师成长于信息技术有限的环境中，因此他们对于信息技术的适应性比学习者要困难得多。因而，必须制订一项教师工作能力提升计划，以紧急处理教师在课堂中应用信息技术时所面临的问题。信息技术将成为教师入职培训和教师专业持续发展的核心。

4. 准则和标准

一方面，需要制定教育信息技术的国家规范和标准；另一方面，也呼吁扩大省级方案，以确保公平获得学习机会和提高学习成绩。信息技术的国家规范与标准涵盖以下方面：其一，教师能力符合国家资格框架水平；其二，电子内容的教育正当性，例如相关性、可靠性；其三，可访问性和可用性；其四，硬件和软件的可操作性，以及提高耐用性；其五，可扩展性（将提供给大量学习者）和灵活性；其六，权利管理，例如许可、品牌、交易和合法性；其七，网络和信息安全；其八，社区参与。

（三）教育信息化治理的战略目标

1. 促进管理、教学和学习的专业发展

信息技术使用的熟练程度成为发展评估制度和全校评估的一个组成部分。南非教育部制定了使用信息技术的专业能力标准，分为入门、使用、适应和创新等几个级别。入门级别，要求能够使用电脑并教导学习者使用电脑；使用级别，能够使用包括计算机在内的各种技术来进行传统的管理、行政、教学和学习；适应级别，能够利用技术来丰富课程，并使用综合系统进行管理；创新级别，准备开发全新的学习环境，在这种环境中的技术是一种灵活的工具，使学习具有协作性和互动性。获得支持在职信息技术培训计划的款项。每所学校必须配备一名信息技术专职教师，来管理信息技术设施，并接受必要的培训和支持。

南非教育部还出台了针对教师和学校信息化的激励性措施：最佳学校改进奖下设子奖励“技术促进学习奖”。

2. 促进信息化资源共享

南非教育部收集和评估现有数字多媒体材料，这将刺激所有南非学习者以协作和创造性的方式开发和使用信息资源。这些资源并不昂贵，能为所有学习者和教师提供便利。

教育机构和公共图书馆则引入信息技术，实现内容的数字化，使学习者自由访问数字内容。

为促进地方语言的发展。教育部试图将互联网上大量的课程材料和资源翻译成原住民语言，推动创建新的与结果本位一致的电子内容。全国推广的重点领域包括南非的历史、技术、数学、科学和与艾滋病毒/艾滋病有关的生物学和社会行为。

建立数字图书馆。公共图书馆、博物馆和政府办公室的信息应该实施数字格式和网络应用程序。教育部将推动优先帮助薄弱地区的学校和公共图书馆建立信息资源。

与省教育部门合作，开发与省级和私营门户网站相连的全国教育门户网站，并使之成为信息共享平台。它将作为教师、学习者和社区建立网络资源的核心。通过国家教育门户网站可以访问教育管理信息系统。

（四）信息化治理的实施计划

南非信息技术的运用是一个连续的行动计划。第一阶段始于2004年，第二阶段始于2007年，第三阶段为2010—2013年。

第一阶段，为促进信息技术在学习、教学和管理中的使用而建立制度上的准备。建立一个将信息技术整合到学习和教学中的教育和培训体系；帮助教师和管理者树立使用信息技术的信心；制定一个框架，提升教师将信息技术与课程整合的能力；在学校中建立专门的信息技术机构；使用高质量的资源数据库，可以访问教育门户网站“Thutong”[①]；50%的学校连接到教育网；大部分学校都享受教育信息服务折扣优惠政策。

第二阶段，信息技术系统化整合到学习和教学中。教师和管理人员将信息技术整合到管理和课程中。50%的教师接受基本的信息技术融入教学和学习方面的培训，教师可以使用信息技术支持培训，80%的教育机构管理者将信息技术纳入管理和行政中。各省支持信息技术融入课程，为信息技术整合的发展提供动力；与教育门户网站“Thutong”交流协作，访问内容资源，学校可访问数字化图书馆；所有的学校连接到教育网；大部分学校都享受教育信息服务折扣优惠政策。

第三阶段，将信息技术整合到学校系统的教育、学习和管理的各个方面。所有学习者和教师都具有掌握信息技术的能力；信息技术融入所有学校的教学和学习中；所有教师将信息技术纳入课程；所有学校均可使用网络计算机设施进行教学和学习，所有学校都使用高质量的教育软件；通过教育门户网站，采用“以结果为本位”的教育方式进行教学；基于研究来获知信息技术干预的办法。

在教育信息化规划实施之前，西开普、豪登、北开普，已经开始了实施全省性的信息技术与课程整合的项目。这些省份中小学校的计算机普及较广。其他省份学校则在教育信息化规划实施之后有所起色。[②]

为了利用信息技术提升学生成绩，应对基础教育领域中的挑战，2016年，南非全国教育合作信托组织提出了一个实施框架，便于信息技术融入基础教育领域。[③]框架如表4-2：

---

① “Thutong”：南非教育部与各省教育部门及相关部门合作开发的一个全国性教育门户网站，提供由专家审定通过的教育资源。

② 肖飞生，章苏静．南非基础教育信息化最新进展[J]．现代教育技术，2008，18（08）：58-62.

③ I A Meyer，P R Gent. The status of ICT in education in South Africa and the way forward. National Education Collaboration Trust （NECT）[R]. http://nect. org. za/publications/technical-reports/the-state-of-ict-in-education-in-south-africa/

表 4-2　信息技术融入南非基础教育领域的框架表

宏观层面	基础教育部	
	策略，政策，资助，国家系统	
	省	领导，策略，资助，合作关系，整合到学习和教学中的方法，有利环境，教师专业发展，技术政策
中观层面	区域	协调，支持，有利环境，社区参与
微观层面	学校管理	愿景，领导，行政，整合到学校系统，有利环境，支持教师
	教师	
	计划	

在宏观层面，框架致力于提供领导力和促进整合。领导力和组织文化是信息技术计划有效实施的核心。管理层的观念是将信息技术整合到教学中的关键。最有效的计划一般包括明确的问责制和详细的绩效报告。信息技术有利于教育的发展，但是并非进行教育的主要工具。信息技术被用来培养思维技能，即从记忆到知识创造，技术被用作此过程中的认知工具。

中观层面，创造有利的环境，为虚拟社区提供良好的支持。社区参与对于教师分享他们的成功来说，至关重要。

微观层面，创建一个有利的环境，建立愿景并展现领导力。信息技术计划与培训等与学校相关的政策，对课堂上使用信息技术产生了重大影响。学校领导是决定信息技术整合是否成功的唯一的最重要因素。一个资金充足、管理良好、支持学校信息化的环境，是确保信息技术融入学习和教学得以实现的基础。教师需要学习技术整合策略，了解信息技术在教育政策、课程、教学、评估、组织和管理中的作用，并加强彼此之间的合作。

第三节　农村教育治理

新南非政府成立后，加大了对教育的投入，促进了教育的发展。但基础教育的发展，主要体现在城市学校教育质量的提升。由于城市中更多的职业向教师开放，农村教师流失严重。在教育学院合并到高校之后，农村教师缺乏问题变得愈加严重。城乡之间的教育差距不断扩大。南非政府成立了相关的农村教育治理机构，并颁布了相应的治理政策。

一、治理机构

（一）曼德拉基金会

曼德拉在卸任总统后，于1999年创建该基金会。自2003年起，曼德拉基金会开始了农村教育问题调查。其目的在于促进所有人的自由与平等，旨在建立一个不忘记过去，倾听所有人的声音，为所有人去追求社会公义的社会。①

2003年，曼德拉基金会对贫困率居高不下、基础教育入学率一直偏低的夸祖鲁-纳塔尔、东开普及林波波3个省份9个农村社区的基础教育状况实施了问卷调查，并从这3个省份中各选取3所学校进行了参与式调查研究。

2005年，曼德拉基金会发布了《新的呼声：南非农村社区教育调查报告》。该报告对农村学校的外部环境、课堂教学、师生关系以及农村学校与农村社区之间的关系等进行了总体性阐述，并重点关注农村居民自身的观点和看法。②

（二）农村教育部长级委员会

南非农村教育部长级委员会（Ministerial Committee on Rural Education，MCRE）成立于2004年3月11日。该委员会的职责在于：向教育部和省级教育行政部门提交农村教育发展的政策建议。2005年，委员会提出了名为《农

① Nelson Mandela Foundation. Who we are[EB/OL]. https://www. nelsonmandela. org/content/page/who-we-are

② 康建朝，肖甦．南非农村基础教育变革新动向探析[J]. 比较教育研究，2011（4）：47-51.

村教育部长级委员会报告——农村学校的新视野》的农村教育报告。[①]

报告提出了一系列发展农村教育的建议，包括消除贫穷，改变教育的规模和形态，农村教育的资助、治理和管理，课程改革，教师的招募、服务条件与专业发展等。报告指出，在过去10年，南非教育在促进平等方面发生了巨大的变化。因而，对城乡学校可遵循同样的管理方式和资助计算公式。但调查报告建议，应针对农村学校采取不同的资源分配和管理方式，以满足学习者的需要。[②]

根据该建议，教育部于2007年成立了农村教育局，来负责农村教育问题的解决，促进农村教育的发展。

二、政策的实施

南非政府对农村教育采取综合治理的方法，颁布了综合治理的具体方案，设立了专门的治理机构，并规定了各级教育行政部门的职责。

（一）农村教育治理的背景

在南非，“农村”的定义并不是单一的，因为不同背景的农村地区的特点不同。“农村”是指由被控制的部落组成的地区、传统领袖控制的地区，以及农业地区。虽然“农村”通常指的是人口稀少、农业是经济活动主要手段的地方，但这个概念也包括殖民和受种族隔离驱动的土地定居所产生的密集定居点。农村地区的公立学校可能位于政府土地、公有土地或私人土地（主要是在农场和教堂土地上）上；也可能位于孤立、隔离和分散的定居点。

南非采取补偿性的措施，向农村学校倾斜的教育政策。教育部1999年出

① Ministerial Committee on Rural Education. Report of the Ministerial Committee on Rural Education: A new vision for rural schooling[R]. Pretoria: MCRE, 2005: 1. https://www.education.gov.za/Portals/0/Documents/Reports/Ministerial%20Report%20on%20Rural%20Education.pdf?ver=2011-01-18-115532-587.

② Ministerial Committee on Rural Education. Report of the Ministerial Committee on Rural Education: A new vision for rural schooling[R]. Pretoria: MCRE, 2005: 1. https://www.education.gov.za/Portals/0/Documents/Reports/Ministerial%20Report%20on%20Rural%20Education.pdf?ver=2011-01-18-115532-587.

台了“全国学校拨款规范标准”，对贫困家庭的孩子采取学费减免政策，使贫困黑人家庭的孩子有更多减免学费的机会。2006年起，进一步加大了资助力度，实施“免费学校计划”。截至2012年5月，已有超过69.3%的贫困学生分别进入20 000多所免费学校就读。2007年，通过国家学校营养计划，为义务教育阶段在校学生提供营养餐。同时，学校还自建菜园以补充在校生的营养。在5年间，学校营养计划的国家投入已由327.7亿兰特上升到490.7亿兰特。①

南非积极参与各种国际协议的签署。参与签署的《可持续发展战略》，从多维度提出解决本国极端贫困问题的举措。优质教育是目标之一，旨在“确保包容和公平的优质教育，并为所有人提供终身学习的机会”。南非为了实现这些目标，1996年，通过了《宪法》以及《人权法案》，特别重视保障人权和自由，包括教育权利。2011年，南非政府颁布的《国家发展规划2030》提出了教育和培训的远景，强调了人人享有优质教育的必要性。在这种情况下，良好的教育成果必须符合所有相关者的利益，并对当地社区的需求和经济发展做出回应。

基础教育部在《2019行动计划：为了实现2030年的学校教育》中提出，改善农村学校的教育质量，消除歧视，维护所有学习者的权利，并为消除贫困做出贡献。为了实现上述目标，有一项基本前提，即农村学校社区面临的挑战，可以通过公民参与来解决，而且社区应针对农村学校所面临的资源短缺问题，提出有针对性的财政资助计划。

（二）各治理主体在农村教育治理中的职责

农村教育治理的目标是确保农村学校为所有学习者提供优质的教育。

1. 国家负责制定政策和发展战略

南非基础教育部负责制定指导方针、发展战略，监测和评价农村教育政策的实施及效果，以确保各机构获得执行该政策所需的资源。为做到这一点，基础教育部成立了由主要参与者和利益相关者组成的农村教育顾问委员

---

① 胡静，王天平. 南非治理义务教育阶段择校问题的措施和启示——基于种族差异的思考[J]. 现代中小学教育，2014（9）：122-125.

会。委员会向部长提出实施农村教育政策的建议，协助制订农村教育计划，监测和评估政策；建立部门间合作关系以加强对农村学校优质教育的支持和实施；设立由各分支机构组成的国家工作队，负责规划、执行农村教育计划；报告针对农村学校的其他计划和举措；建立省际农村教育委员会，将负责协调多学科的教师支持，以便向农村学校提供优质教育。

2. 各省负责政策的具体实施

为了落实国家关于农村教育的政策和目标，各省建立了专门的董事会或分局（以农村学校数量为标准），负责管理农村教育。还建立有省级农村教育委员会，为实施计划做准备，并协调全省教育包括农村的各项活动。制订个人及学校的计划，并计划成立教育村和教师发展中心。确保所需的财务、材料和人力资源的合理配置。监测和评估农村教育政策的实施。

3. 学区负责监督实施

为了更好地履行职责，学区成立农村教育委员会，配备专人负责监督农村教育治理的实施。

南非政府通过加强基础设施建设、改善办学条件、提升师资水平、进行学校合理布局来促进农村教育的发展。南非在农村中小学相继实施了“国家阅读计划”和“学生交通计划”等资助计划。另外，南非政府制定并执行了“提高质量、支持发展和提升计划”“蒂娜莱迪学校计划”“全国农村高质量教育框架”和“农村地区学校重建指南”。同时鼓励教师流动，通过提高面向师范生的“峰萨－卢刹卡津贴（Funza Lushaka Bursary）”额度，把教师教育定为重点资助领域，以因地取材、内部消化的方式，招收本地学生接受师范教育，并对师范生提供免费食宿。还鼓励优秀的师范生回乡任教，采取城乡教师两年定期轮岗制，尽力缩小城乡教师工资待遇差别，提高各地教师的稳定性，使城乡学生在教师资源方面享受同等待遇。调整小规模学校，依据人口疏密程度，对不同农村地区采取“双层学校”和“三层学校”的学校模式。

第四节 基础教育治理的实践——以东开普省为例

1996年的南非《宪法》提出要在教育领域实施平权行动。为了解决黑人学校和白人学校师资不平等的问题，南非政府开始实施教师合理化与再分配政策。1998年11月17日，教育劳动关系理事会签署了4个协议，构成了教师合理化和再分配政策的基础。这4个协议是：教师岗位的公告和补充，在职教师可参与调配；教师合理化和再分配的程序；根据每个学校的具体情况计算教师的工作量；教师的责任和义务。其中，教师合理化和再分配的程序这个协议最为重要。①各省教育部门都必须根据程序来实施教师的再分配政策。它确定了各省教育部门在教师岗位出现富余和空缺时必须遵循的原则。这些协议也意味着教师合理化设置与再分配政策的开端。在各省都成立了省级任务小组，包括来自于省级教育部门的代表和6名教师代表。该小组的职责如下：监督合理化和再分配政策过程的协调与执行；促进再分配政策执行以及提出建议；监督省级教师再分配名单的确定与更新，解决各方可能产生的冲突。在国家层面，各省之间也成立了任务小组，观察各省的执行过程，以确保政策实施。②

在此政策下，省级教育行政部门必须通知所有的教育机构，其教师数量根据师生比变化可能会增加或减少。每所学校的教职工数量都与学生的注册人数有关，也会考虑到学段和学科。公立学校的加权规则是，一至三年级学生被算为1.15个加权学生；四至七年级的学生被算成1个加权学生；八、九年级学生加权根据他们的学习领域；十至十二年级学生加权根据所有的学科内容。有一种以上教学语言的学校，加权比重增加15%。教师总的岗位设置必须根据课程设置、综合课程、课外活动来确定。③

---

① Edwin Themba Mthombeni. The Effects of Reationalisation and Reployment of Educators in Mpumalanga[D]. Randa Afrikaans University，2002：3.

② Edwin Themba Mthombeni. The Effects of Reationalisation and Reployment of Educators in Mpumalanga[D]. Randa Afrikaans University，2002：17-18.

③ Edwin Themba Mthombeni. The Effects of Reationalisation and Reployment of Educators in Mpumalanga[D]. Randa Afrikaans University，2002：18.

有研究者探讨了东开普省教师供求不稳定的问题。对学区主任、校长和评价者、教育工作者和工会评价者进行了访谈。所有访谈都是半结构化的讨论。主要的开放式问题是：“你对东开普省教师分配、任命和部署的方式有什么想法？”结果呈现出岗位供应和总体表现不佳的问题。

东开普省教育厅中领导的不稳定性以及内部治理的分散性，影响了东开普省各级管理部门对政策的执行。在教师供应和教师岗位分配的问题中，表现得尤为明显，这也导致了教育厅长期面临财务困难。

该省教育部门面临的一个棘手的问题是合格的教育工作者分配不均。目前东开普省分为23个学区，覆盖了不同社区的学校。2014年，教育管理信息系统显示，东开普省教育厅下有6 227个教育机构。这个数字包括873所中学、2 243所小学、42所特殊学校、187所幼儿发展中心、初中2 428所、成人中心294所、独立学校160所。2013—2014年度在东开普省教育系统注册的66 138名教育工作者中，61 407人由政府资助，另外4 731人由学校管理机构资助。2014年，东开普省教育部门报道称，60%的省级学校空置职位超过12个月，尽管这可能包括非教学人员。①

有学者研究发现，与其他省级部门相比，该教育厅管理不善。这导致东开普省2009—2012年四年来，学校数量、师生总数减少，学生人数下降幅度最大。学校数从5 809所降到5 754所；学生数由2 076 400人降到1 951 523人；教师数由69 620人下降到67 936人。东开普省学校数量占全南非的22.3%，学生人数占16%。人数下降会导致学校倒闭，临时教职人员数量不断增长，且固定教职工将面临重新分配工作的状况。

1998年，该省教育厅首次颁布了国家岗位分配标准，并于2002年和2008年进行了修订。主要根据学习者的数量，进行“加权”计算，分配教师到各学校。这种分配方式，充分考虑了主要课程和偏远农村学校的教育工作者数量，是一种更公平的人员分配方式。

---

① Zukiswa Kota，Monica Hendricks，Eric Matambo，etal. The governance of basic education in the Eastern Cape[EB/OL]. http://www. gsdpp. uct. ac. za/sites/default/files/image_tool/images/78/Files/Working_papers/The%20governance. pdf.

确定学校人员的需求量和分配模式是一个复杂的过程。必须综合考虑学校规模、每个学习区域的最大班级规模、学习障碍情况和教学用语差异、偏远学校的分布等情况。

2013年国家教育评估和发展组的调查结果显示，在9个省份中，该模式有着不同程度的应用。另一份报告指出，东开普省教育厅本身对指导省级部门使用模式的细节明显不一致。此外，南非至少有5种不同版本的人员分配政策，从而更需要对省级实践进行监督。该模式职位分配的分散性和应用的不一致性，也会使岗位分配流程存在管理不到位和有潜在不法行为的风险。

东开普省教育厅监督长于2015年11月发布通告，概述了该政策的问题，向教育利益相关方提出警告并指出该政策的各种缺陷。如教师短缺、教职员工士气低落以及教育功能不凸显等问题。为了实现师生比的均衡，教育部门考虑重新调配教师。

此外，还由于不少学校的建筑物破败不堪，被称作“泥巴学校”。2009年，2 650所学校建筑物呈现“糟糕”或“非常糟糕”的状态，约占全省5 788所学校的46%。教育厅报告曾指出，这些学校多是农村小规模学校，随着城市化和农村人口的减少，它们将被撤并，因而对其投资是不划算的。这种政策导向会导致一些学校关闭后，生校比、生师比扩大，一些学校出现不少临时聘用教师，一些教师等待再分配。这就需要建立教师供求系统。但令人意外的是，东开普省的教师供求系统却迟迟没有建立起来。

教师对从现有学校和社区调动的前景感到不安，并拒绝接受安排。因此，受到严重影响的学校会人手不足，只能聘用临时教职工来填补教育工作者的空缺。

可以说这是东开普省“并排停车”现象的开始。此前教育厅被迫重新调配教师，遭到教师反对。有教师上法院起诉教育厅，案件判决后，教育部门被迫承认错误，并允许教师回到原来职位。富余教师待在他们原来的岗位上，同时师资缺乏的学校不得不聘任那些已经提前退休的教师，以作为临时代课教师。这意味着教育部门须支付双倍的工资，即所谓“并排停车”。[①]

当然，这并没有解决冗员和教师不足的问题。相反，这个问题在2016年依然存在，且将“并排停车”制度化。

比省级和地区教学职位的计划和分配问题更突出、更有争议的问题是学校的治理水平。学校层面的治理需要解决学校管理的利益冲突，主要表现为校长与有工会背景的教师的对抗。学校管理机构容易受到派系压力的影响而陷入两难的境地，其冲突的来源可能与填补职位的竞争有关。虽然不能说这与省级岗位分配和教师分配有直接关系，但它可能凸显了不合理分配模式所带来的后果。

学区通过对学校进行教学督导和检查来实现对教师的支持。在东开普省，学区是教育厅的下属机构，主要处理合作性的关系，如行政上的、人力资源管理、财产上的和金融方面的关系。除此之外，学区还提供专业性服务，如为教育机构的发展与良好的治理提供支持，为学校教育治理提供社会支持。学区为学校提供资源、制度和专业性的支持，并且监控学校的目标实现情况。学区对教师的支持也意味着教师对学区负有三种义务：其一，教师有遵守合同的义务，教师对政府的义务是指对代表政府的学区而非工会负有责任。其二，教师有专业的义务。教师作为专业的人员有自己的组织——教师工作者理事会，该理事会和学区共同工作提高教师的专业水平。其三，教师具有公共义务，教师作为公务人员，有责任为公众提供高质量的教学，这就要求教师提供高水平的教育以满足学习者的需求。对教师的支持不仅来自于学区，也来自于家长。然而，学区对教师的支持往往面临着多种挑战，其中包括教师的消极态度、学区缺少与利益相关者如工会的合作、学区管辖的范围过大、学区与学校联系过少以及学区缺少相应的资源等，这些经常被看作是学校管理的阻碍因素。

由于帮派主义、政治化、对资金的管理不善等问题的存在，使得南非的基础教育治理面临着诸多困难。

---

① Granville Whittle. The Role of the South African Democratic Teachers Union in the Process of Teacher Rationalistion in the Western Cape Between 1990 and 2001[D]. Pretoria：University of Pretoria，2007：134.

第五章　南非高等教育治理

高等教育作为教育的“金字塔尖”，关系着国家的前途和命运，既关涉国家的核心竞争力，也起着调节社会公平的作用。南非目前是非洲大陆高等教育入学率最高的国家。[①]南非政府为了保障高等教育治理，采取了一系列措施，如：通过制定各种法案和政策来强化对高等教育的治理，强调其在高等教育治理中的主导地位；通过高等教育委员会和高等教育质量委员会来进行宏观调控。南非高校实行自治，各高校内部也成立了董事会和评议会等组织来确保高等教育质量的提升。这些政策提高了高等教育的质量，但因高等教育治理的目标更多地关注教育公平，而非效率，这对高等教育质量产生了消极的影响。

第一节　治理缘起

在种族隔离时代，南非高等教育领域存在着严重的不平等现象。白人和黑人入学机会极端不平等。白人高校的科研水平和教学条件处于世界顶尖水平，但黑人高校的教学设施落后，师资水平低下，教育质量和学校声誉不佳。新南非政府成立后，针对高等教育中长期存在的畸形发展的状况进行治理，以促进高等教育公平，提高教育质量。

一、高等教育不平等问题

南非最早的高等教育机构，是由传教士或伦敦传教协会、苏格兰传教协

① 祝怀新，翟俊卿．南非私立高等教育质量保障机制探析[J]．外国教育研究，2007（5）：73-76.

会等教会团体创办的。其目的在于培养牧师或教师，并进行农业培训。1829年，南非学院成立。它是一所模仿伦敦大学创办的私立大学，以英语为教学语言。1879年，在斯坦林布什创办了维多利亚学院。这一时期南非的高等教育是仿照英国高等教育的模式建立起来的。南非政府通过考试机构来对学历进行认证。1858年，南非政府的考试机构文理公共考试委员会（Board of Public Examinations in Literature and Science）成立。该机构组织各校的毕业生进行考试，通过考试者可以获得毕业文凭。该机构的职能于1873年被开普敦好望角大学所取代。开普敦好旺角大学是一个学位授予机构，对来自开普敦、德兰士瓦、奥克兰等地的大学毕业生进行考核，并颁发证书。政府也颁布一些管理高等教育的法律，如《开普学校教育法》（1905）、《南非法案》（1909）。

1909年，英国议会颁布了《南非联邦法案》，确定了英国人和布尔人联合统治非洲人的合作计划，规定了对白人和黑人的区别待遇。1910年的高等教育，已经有了明显的种族隔离特征。政府仍然很少资助高等教育。1916年，南非大学成立，它由布隆方丹的格雷大学学院、惠灵顿的雨格诺大学学院、皮特玛丽茨堡的纳塔尔大学学院、葛雷汉的罗德斯大学学院、比勒陀利亚的德兰士瓦大学学院和约翰内斯堡的金山大学学院合并而成。它成为一所向所有种族开放的函授大学。南非《大学法案》颁布后，南非大学升格为开普敦大学，教学语言为英语。维多利亚学院升格为斯坦林布什大学，教学语言为阿非利卡语。为了平衡英语和阿非利卡语的比例，1921年，在波彻斯卓姆建立了荷兰归正会基督教学院，教学语言为阿非利卡语。

在1948年全面实施种族隔离政策以后，南非政府在全国按照种族、地域和意识形态划分了19个教育部门。不同种族之间，尤其是白人和黑人之间的受教育机会存在着巨大差距，造成了高等教育中的不公平现象。1948年，南非国民党上台后，先后颁布了具有种族歧视色彩的300多种法案。

1953年颁布的《班图教育法》，把各省的黑人教育置于原住民事务部管辖，未经许可，任何学校不得开办。为了减轻教育经费的压力，政府要求学校自筹办学经费的50%，家长负责书本费和学杂费，限制黑人享受同等的教育资源。

1959年颁布的《大学教育扩充法》规定，不同的种族人群（非洲人、有色人种、印裔）建立各自的高等教育机构。它不仅规定了种族的差别，而且也规定了不同族群的差别。[①]在没有政府优先批准的前提下，非白人被禁止进入白人大学学习，白人也不准进入非白人学校学习。该法案是对《班图教育法》的强化，促进了南非高等教育的迅速发展。但由于其种族隔离性质，该法案遭到了抗议。国会里少数党联合抗议它的通过。一些大学教授、非白人团体对该法案提出抗议，法案也受到了国际社会的批评。[②]法案令那些用南非民族语进行教学的大学不再招收白人，而非白人学生也不能上白人著名大学如开普敦大学、金山大学、纳塔尔大学等。有的大学，如佛特黑尔大学是国际上有声望的黑人大学，一直主张黑人和白人应享受同等的优质教育。但法案颁布后，它只能招收科萨族学生。林波波省波罗克瓦尼地区特伏鲁普镇的北方大学只能招收索托人和茨瓦内人。为有色人种建立的大学在西开普省的贝尔维尔（Bellville），为亚裔和祖鲁人建立的大学分别位于德班市韦斯特维尔和夸祖鲁-纳塔尔省恩戈耶。法案的颁布使这些大学的质量下降，它们被迫只能面向教育质量低下的班图教育体系招生。白人大学也减少了自治，抗议该法案的教授被解职。该法案降低了黑人就读的大学的教师质量，影响了黑人教育质量。20世纪60年代，南非政府先后颁布了《有色人种教育法》和《印裔教育法》以巩固种族隔离制度。

1976年6月，为抗议《班图教育法》，南非爆发了反对种族隔离教育的“索韦托事件”。南非当局开枪打死了成百上千手无寸铁的抗议学生，此事震惊了国际社会。该事件也被称为“索韦托青年起义”。南非的种族隔离事件引起了国际社会的广泛关注。

20世纪80年代，在巴西教育家保罗·弗莱雷的“解放教育学”的影响下，南非开始兴起了“人民教育运动”。该运动提倡民主治理，提倡建立由

---

① South African History Online（SAHO）. Extension of University Education Act No. 45 commences[EB/OL]. http://www.sahistory.org.za/dated-event/extension-university-education-act-no-45-commences.

② The Extension of University Education Act of 1959[EB/OL]. https://www.thoughtco.com/extension-of-university-education-act-43463.

家长、教师、学生组成的一元化的反种族主义的教育管理体系。在该运动的影响下，几百个非政府教育组织纷纷成立。在国内外的压力下，南非政府不得不废除部分种族隔离的法案，如《通行证法》和《人口流动控制法》，允许黑人大学校长参加白人组织的大学校长委员会，扩大黑人学生上大学的机会。

1983年，《大学修正案》出台，政府这才允许黑人学生进入白人大学。种族隔离政策下，黑人学校与白人学校相比在生源、管理、经费、教师培训、课程等方面，都受到不公平的对待。白人学校拥有充足的资金，而黑人学校却缺乏足够的教学设施和书本，师资力量匮乏。在种族隔离制度的盛行期，政府在每一所白人学校投入的资金，是黑人学校的10倍；而在后期，城市白人学校的花费仍然是黑人学校的2—3倍，在农村地区为3—4倍。[①]种族隔离制度下的高等教育入学权利存在极不公平的问题。1992年，虽然接受高等教育的白人数量只占总人口的12%，但是达到了大学入学人数的50%，占技术学院入学人数的60%。[②]

1994年新南非政府成立前，高等教育领域仍然存在着诸多问题。如高校教师或学生在种族和性别上不平等，白人占据着各种有利的地位。历史上的白人院校与黑人院校在地理位置、招收学生质量、科研水平上存在着巨大差异。白人院校在城市中，交通便利；而黑人院校位置偏僻、交通不便、基础设施差。在课程设置方面，黑人院校只能开设人文社会科学方面的课程，而且水平不高，因为这类课程的成本相对较低。在院校管理方面，黑人院校也存在很大问题，如行政能力薄弱、硬件设施很差等，影响了教学活动的开展。黑人院校师资不足，教师资历较浅，学术研究能力有待提高，无法接触到学术前沿知识。白人院校是传统优势大学，主要招收白人学生，黑人学生被拒绝进入这类学校进行学习。[③]尤其是在财政支持上，政府对白人院校注

① 陈晨．后种族隔离时期南非高等教育公平政策研究[D]．金华：浙江师范大学，2012：21.

②③ 陈晨．后种族隔离时期南非高等教育公平政策研究[D]．金华：浙江师范大学，2012：22.

入大量的财力，而黑人院校大量的学生由于承担不起高昂的学费而无法完成学业。因此，追求高等教育公平，成为南非教育治理的核心目标。为了消除种族隔离在高等教育中的影响，新南非先后颁布了一系列有关高等教育的法案，并进行了教育改革。

二、高等教育受到重视

在种族隔离时代，南非高等教育以种族隔离为指导思想。最初，南非白人高校几乎不招收非白人入学。只有函授大学南非大学向所有种族开放。20世纪30年代，一些学院升格为大学后，才开始招收少量的黑人学生。1916年，第一所黑人大学——土著学院建立，主要吸收在教会学校毕业的黑人毕业生。1951年土著学院升格为哈勒堡大学学院。[①]

1959年的《大学教育扩充法》将高等教育种族隔离以法律的形式确定下来，规定了不同种族接受不同的高等教育。法案提出创建四所非白人大学。它们分别为北方大学、祖鲁兰大学、西开普大学和德班大学。这客观地扩大了非白人接受高等教育的机会，但降低了传统以黑人招生为主的大学的教育质量。由于政府拨款向白人高校倾斜，非白人大学的教学质量和学术水平远低于白人大学。

在20世纪六七十年代，由于反对种族隔离制度的黑人学生运动此起彼伏，南非政府不得不做出妥协。1983年以后，南非高校在招生政策上有所松动。但黑人中学生能进入白人大学的人数仍然很少。一是因为黑人学生在基础教育阶段的质量很差，他们在中学毕业后很难达到白人大学的入学水平。尤其是在基础教育阶段，黑人学校数、理、化等理科课程方面的教学水平差，黑人达不到进入医学、农业、工程等理工类大学的最低要求，只能进入文科类专业就读。二是由于黑人学生的英语能力达不到以英语为教学语言的大学所要求的英语水平，而无法升入这类教育质量较高的大学。

南非黑人高校教育质量与白人大学存在着巨大差距。如开普敦大学在科研领域处于世界一流水平，其毕业生就有3位获得诺贝尔生理学或医学奖和

---

① 李芳．南非高等教育领域族群公平问题研究[D]．兰州：西北师范大学，2010：12.

化学奖。而非洲黑人高校的教师待遇、学校基础设施都较差，毕业生在就业时竞争力远远不及白人高校毕业生。

20世纪六七十年代以来，世界高等教育得到快速扩张。高校入学人数的增长带来了一系列的问题，如高校教育经费不足、就业压力增大。各国开始重视高等教育质量的提升。新南非政府成立之后，高等教育的国际交流日益频繁，政府也认识到了其高等教育与国际上其他国家的差距。为了国际竞争的需要，新南非开始关注本国高等教育的质量保障建设。提升高校教育质量，缩小不同种族高校之间的质量差距，成为当务之急。

1994年12月，总统曼德拉下令组建高等教育委员会，负责对南非高等教育的现状、愿景、改革的政策展开调研。委员会组织国内外专家学者进行讨论，向各利益相关机构征求意见，并考察了世界上其他一些国家高等教育政策的实施情况。一年后，委员会提交了调研报告。1996年，南非教育部在此报告的基础上形成了《高等教育变革》绿皮书。1997年，颁布了教育白皮书第3号《高等教育改革计划》。

1997年初，颁布了《高等教育法》，高等教育改革的愿景和行动方案大致以法案的形式确定下来。该法提出要建立一个机构来负责监管高等教育的质量。1998年3月，高等教育委员会成为常设机构，负责管理全国的高等教育。为了更好地协调高校内部的质量保障工作，将内部质量与外部监管协调起来，高等教育委员会成立了下属的高等教育质量委员会，主要通过院校认证和专业评审来提升高等教育的质量。

1999年，南非进行了历史上第二次民主选举。新任教育部长要求高等教育委员会对高等教育的发展前景进行评估。2000年6月，高等教育委员会结构和规模任务小组发表了题为《建立高等教育新蓝图》的报告。报告指出了当前高等教育中存在的问题。报告认为，南非高等教育面临的三大挑战为：效能、效率和公正。报告提出了一些提升高等教育质量的建议，包括发布高等教育变革规划、出台新的公立高校拨款方案、注重研究生培养、高校合并等。①

第二节　治理措施

新南非政府成立后，针对由于种族隔离所导致的教育不平等状况，对高等教育进行了一系列的变革。政府通过颁布相关法律政策，力图建立合作型治理模式。为了提升高等教育的质量，南非政府建立了高等教育质量保障体系。目前，南非已形成了多元主体协同治理高等教育的格局。

一、平等教育治理

（一）颁布各项法律和政策，促进入学机会均等

在新南非成立以后，为提高黑人入学比例，采取了各种治理措施。1994年，国家组建了高等教育委员会。其构成体现了民主、平等的原则。委员会由9名男性、4名女性构成，其中白人5人，黑人和其他有色人种8人。成员来源广泛，有来自高校专业人士、劳动部门和企业部门的代表。经过广泛调查与社会协商，于1996年底出台了《国家高等教育委员会报告：变革框架》。报告提出了建立新的高等教育需要遵循的原则：建立民主、具有代表性和广泛参与的治理结构，物质资源与人力资源均衡发展，学术自由，院校自治等。

在该报告基础上，教育部颁布了《高等教育变革》绿皮书。该绿皮书强调，高等教育变革的目的，就是消除过去的不公正，建立一个能对南非政治、经济和社会发展做出更大贡献的高等教育体系。绿皮书提出了高等教育发展的远景目标，即不分种族、肤色、性别、年龄、阶层、信仰，确保入学的公正和成功的可能性。

---

① Council on Higher Education Size and Shape Task Team. Towards a New Higher Education Landscape [EB/OL]. http://www. che. ac. za/sites/default/files/publications/New_HE_Landscape. pdf.

该绿皮书发表后，在广泛征求社会各界意见和反复修改的基础上，1997年颁布了教育白皮书第3号《高等教育改革计划》和《高等教育法》。《高等教育改革计划》认为高等教育变革的核心要素有三点：其一，增加和扩大入学。在克服原有条块分割、不平等、低效率制度的基础上，增加黑人、妇女、残疾人和成人学生等人群的多样化需求。其二，提高对社会利益和需求的应对能力。通过高等教育系统和院校的重建，满足日益以技术为导向的经济需要。高等教育需提供基本的研究、知识、高素质的人才，使发展中的社会能够满足国家需求，参与国际竞争。其三，倡导治理中的合作与伙伴关系。必须对高等教育与国家、市民社会和利益相关者之间的关系以及各类高等院校之间的关系进行重新思考，建立一个更加包容和透明的制度环境和文化。①

高等教育委员会在2004年的一份报告中，重申了这一普遍观点——“高等教育在多大程度上促进平等和入学，将直接影响社会和阶级分层以及劳动力市场的性质”。②

1995年，成立了南非资格局，建立了统一的衡量学业成就的国家框架。其目的在于促进人员在各级各类教育与培训教育机构的流通与学业晋升，纠正在教育、培训和就业等各领域的种族歧视。其积极作用在于：一是有利于消除对传统黑人学校、职业类学校毕业生的歧视，不论在什么学校就读，只要达标，学生都能取得同样的资格，都能升学、就业；二是推动了基于课程项目的教育，每一阶段都有完整的资格相对应，方便学生退出教育体系进入就业市场，再在合适的时候继续学业。这降低了高等教育的门槛，使有经济困难或学习困难的学生能够接受高等教育。③

1999年，南非政府颁布了《国家学生资助法案》，实施国家学生资助计划，至今已有300万大学生获得资助。④其资助对象主要面对贫困和工人

---

① 顾建新，牛长松，王琳璞．南非高等教育研究[M]．北京：中国社会科学出版社，2010：51.

② The Council on Higher Education. South African Higher Education in the First Decade of Democracy[R]. Pretoria：CHE，2004：62.

③ 顾建新，牛长松，王琳璞．南非高等教育研究[M]．北京：中国社会科学出版社，2010：301.

④ NSFAS[EB/OL]. http://www. nsfas. org. za/content/mission. html.

家庭。但实际受益者主要以黑人为主，占总数的90%左右，其次是有色人种和印裔，白人的比例最小，且女性多于男性。发放的所有资助都采取贷款的形式，由国家贴息。根据学生的学业表现情况，最多可将其贷款总额的40%转化为奖学金，其余部分仍须偿还。该计划的经费主要来自政府（约占75%），在新的高教拨款政策中以专项拨款的形式体现，其余部分来自国内外援助、高校筹集以及贷款清偿的回笼资金。[①]这使南非政府对黑人等弱势群体的资助走上规范化的道路。

南非1998年颁布了《公平就业法》，提出了平权行动方案。它要求改变黑人、女性和残疾人等弱势群体在职业领域中的不利地位。同时，要求在高校的滚动发展三年计划中，要包括入学公平计划和教职工公平计划。国家通过提供奖学金和加大人才储备的方式，来改变高校学生及教职工的种族构成。通过建立国际伙伴关系、投资等方式来培养优秀的黑人学者，以达到高校领域教职工种族和性别上的平等。

总之，政府出台多种政策，采取多种方式来扩大黑人群体的入学规模，使学生获得平等的入学机会；并采取措施使各高校获得相对平等的教育资源。各高校尽量增加黑人学生的招生名额，以免受到政府的追责。高校重新设计自己的课程，改变教学语言，变通录取方式，以适应扩大黑人入学的需要。

（二）采用多语言教学

据南非语言规划任务小组的调查报告显示，南非有80多种语言。[②]但南非在种族隔离时期，只有英语和阿非利卡语是官方语言。新南非成立之后，南非在《宪法》的指导下，先后颁布的《国家教育政策法案》（1996）、《高等教育语言政策》（2002）等法案都规定了不同语言具有同等的地位。《高等教育语言政策》承认英语和阿非利卡语在高等教育中的主导地位。

阿非利卡语是以荷兰语为主体，混合了德语、英语、葡萄牙语、马来

① 顾建新，牛长松，王琳璞．南非高等教育研究[M]．北京：中国社会科学出版社，2010：301.

② 李旭．南非高等教育语言政策管窥[J]．西亚非洲，2006（2）：62-66.

语、南部恩古尼族语言的一种新语言。19世纪早期，当英语被引入南非时，遭到了布尔人的强烈反抗。19世纪和20世纪早期，布尔人投入了大量资源开发阿非利卡语。其目的不仅是为了使阿非利卡语独立于荷兰语，更是为了抵制英国人的盎格鲁化政策。[①]

1814年，英语在南非社会公共生活方面完全取代荷兰语，英语成为了官方语言。荷兰语在殖民学校中被禁止使用。1909年，南非联盟成立。1910年，规定英语和荷兰语为官方语言。1925年，阿非利卡语取代了荷兰语成为官方语言。1948年，由于执政者使用的语言为阿非利卡语，阿非利卡语占据了主导地位，成为市民服务、官场和政治聚会的语言，而英语不过在商业、娱乐业、反对政府的报业和议会的反对党之中使用。[②]

19世纪初，英国传教士开始对黑人进行教育。在20世纪20年代，黑人教育中逐渐开始使用本土语言。大约从1935年开始，至少四年学校教育使用本土语言。[③]1953年《班图教育法》颁布后，黑人学校的母语教学延长到八年级。此后，阿非利卡语获得了与英语同等的教学语言地位。《班图教育法》受到了黑人学生的抵制。他们认为母语教育政策会影响他们接受高等教育。当局做出让步，将教学语言的选择权给予了学校。

1994年后，南非政府针对国内多语言的现实，采取一种公正的多语言模式。1995年，国家成立了全南非语言委员会来鼓励多种语言的使用，以推动语言的发展。1996年《宪法》规定了11种官方语言，中央政府和各省政府的公报必须选择使用其中两种官方语言。《宪法》也是以这11种语言出版。其中第二款和第三款规定，国家必须采取切实有效的、可行的措施来提高本土语言的地位，促进本土语言的运用；所有的官方语言都必须获得同等的尊重和公正的待遇。1996年颁布的《国家教育政策法案》中，明确规定了学校需要考虑到学生的语言需求。

从南非政府的语言政策来看，高等教育初创期实行英语化政策；在南非联盟时期实行双语政策。但由于双语教学的成本过高，南非高校逐渐发展成

①② 牛长松．南非高等教育多语制改革[J]．非洲研究，2010（1）：235-243.

③ 顾建新，牛长松，王琳璞．南非高等教育研究[M]．北京：中国社会科学出版社，2010：240.

为语言单一型的大学。到1948年，南非有4所阿非利卡语大学、4所英语大学；而南非大学则采用双语教学。在种族隔离时期，高等教育机构对不同种族的学生分别用英语和阿非利卡语进行隔离教育。实行该政策的目的在于缓解二者之间的紧张关系，提高阿非利卡语的地位。阿非利卡语主要是政府使用的语言，而英语为工商业语言和教学语言。到1994年，南非公立高等教育系统共有36所高等教育机构，其中大学21所，理工学院15所。在21所大学中，除了3所大学为双语外，13所为英语大学，另外5所为阿非利卡语大学。在15所理工学院中，7所为双语，另外8所为英语。[①]

新南非政府提倡多种族、多语言主义。但多语言仍然未成为行政语言。尽管教育部制定了多语言政策，在院校层面也有相应的政策；但由于英语所占的统治地位，南非并未形成多语言的大学。至2004年，英语和阿非利卡语双语大学的比例明显提高。在南非高等教育结构调整后形成的22所大学中，有7所双语大学，约占三分之一。与此同时，单一英语媒介的院校数量由1994年约占总数（36所）的一半多（21所）上升到2004年的三分之二（22所中有15所）。官方语言在南非高等教育系统已出现令人尴尬的等级体系：英语的地位日益显赫，阿非利卡语的使用程度明显下降，而非洲本土语言则被边缘化。[②]

语言问题仍然是南非较为复杂的问题。本土语言的师资培养不够，能教授非洲本土语的学校很少。出于经济利益的考虑，多数非洲学生希望用英语授课。因为学习英语更容易找到工作。而多数白人希望用阿非利卡语授课。

（三）改进高校人力资源结构，进行高校合并

南非受英国影响较深，高等教育具有典型的双轨制特点。英国于1988年以后，将多科技术学院升格为大学。2000年，高等教育委员会受命组织的“高等教育结构与规模工作组”在其报告中将英国和澳大利亚制定的高校学生规模最低标准，作为南非在构建新的高等教育体系时，高等教育机构在学

---

①② 张屹．南非高等教育语言政策的演变与现行多语制政策的实施困境[J]．比较教育研究，2010（4）：12-17.

术和经济上能够实现规模效益的最低入学人数标准制定的依据之一。①

新南非成立后，为解决种族隔离带来的高校不平等问题，提高教育的效率，学习英国、澳大利亚等国的做法，南非政府将高校进行了合并。

传统白人高校与招收黑人为主的高校之间存在着巨大差异，从教育经费的投入、师资水平、管理方式、学术成就上都有明显的不同。白人高校可以获得充足的经费；而黑人高校则勉力维持，不少学生因为交不起学费而中途辍学。白人高校由于待遇丰厚，学术水平高，能吸引国际一流的学者前往任教。白人高校基本上沿袭了英国大学的管理模式，注重学术自由和教授治校。而黑人高校表面上也采取类似的管理结构，但实际管理水平远远不够。

1994年以后，政府将全南非36所高校全部纳入国家管理并采取向黑人高校倾斜拨款的政策，但在短期内很难改变不同种族高校之间的巨大差距。1996年，高等教育委员会对高等教育进行调研，向政府提出高校合并的政策。此后，教育部颁布的绿皮书、白皮书、教育法案等，都提出高校合并政策，以建立面向所有族群的平等高等教育制度。

在种族隔离政策废除后，大量黑人学生涌入了办学质量较好的大学。这使得传统的以招收黑人为主的高校生源质量下降。而且由于技术学院所具有的就业优势，吸引了不少黑人就读。而当时高校的拨款体制并没有多大变化。这种拨款制度强调自由竞争与高校自治的原则，减少政府对高校的干预。拨款基于学生人数和成本分担的原则，根据招生人数和毕业生人数来进行调整。这种拨款体制意味着弱势高校将获得政府更少的财政支持，而且部分黑人学生无力支付学费，政府并不会提供学费补贴。政府延续传统拨款制度的本意，在于鼓励高水平的大学招收更多的黑人学生入学；但这带来了南非传统弱势高校的生存危机。1999年，30多所高校中，11所院校（7所大学和4所技术学院）学生规模不到5 000人，致使规模太小而难以稳定发展。②

1997年，南非《高等教育法》提出了高校合并的程序，要求合并必须是

① 王琳璞．南非高校合并问题研究[D]．金华：浙江师范大学，2008：25.

② PJ Reddy，M Nkondo，PB Figaji. Restructuring higher education：For what? And how will we measure success? [R]. CDE debates. Johannesburg：the Centre for Development and Enterprise，2002. http://www. cde. org. za/wp-content/uploads/2002/05/Restructuring-higher-education. pdf.

公开透明的。1998年以来，南非将教育学院、护理学院和农学院并入高校，成为了高校合并的先声。自此，南非独立的教育学院不复存在，中小学教师养成和培训由综合性大学来承担。

1999年后，南非教育部动用各方面的力量，对高校合并进行调研、规划、论证，提出高校合并与重组的方案。2000年，高等教育委员会提出的报告《迈向高等教育新蓝图——满足21世纪南非公平、质量与社会发展的需求》中，否定了关闭教育质量差高校的可能性，提出了将高校进行大规模合并的建议。2001年3月，南非教育部出台的《高等教育国家计划》，开启了部分高校的合并进程。2002年，通过广泛调研，南非教育部正式出台了《改革与重建：高等教育新蓝图》，南非高校合并的实质性操作开启。新蓝图将南非的公立高校由原来的36所减少到21所；此外，在姆普马兰加省和北开普省各建立一个国家高等教育中心。后来，内阁对新蓝图中决定的高等教育机构的数量与结构又进行了部分调整。最终的合并方案变为：36所高校减少到22所，其中大学11所、技术学院5所、综合性大学6所，另外再新建两个高等教育中心。①

二、强化保障

南非政府对高等教育治理分为两个阶段：第一阶段是1994—1999年，政府的主要目的是消除高等教育中的种族隔离，促进高等教育公平。这是高等教育改革政策与法律框架的制定和形成阶段。它确立了高等教育改革的价值取向、原则和目标，建立新的管理框架，确定高等教育改革议程，明确了实现高等教育目标所需的策略、结构和工具。第二阶段是高等教育改革的实施阶段（2000年至今），关注实现改革所需的人力、财力和程序，围绕院校结构、入学机会、效率、质量、绩效、问责等问题制定并实施了一系列政策。②

高等教育质量保障委员会、高等教育委员会、国家资格框架、南非资格

① 王琳璞．南非高校合并问题研究[D]．金华：浙江师范大学，2008：38.

② 刘晓绪，陈欣．南非高等教育改革中的平权行动政策分析[J]．外国教育研究，2015(3)：62-74.

认定局、质量促进与能力建设部等，对高等教育机构的注册审批、质量评价活动起着宏观引导与全面监督的职责，从国家层面对高等教育机构提出统一的标准与要求，全面提升高等教育的质量。

（一）成立了质量监管的机构，并颁布了相关法律

在高等教育质量的治理中，南非政府强调生均成本、教学与科研的投入与产出等外部指标，鼓励市场竞争。要求高等教育能为地方经济和社会发展服务。1996年的南非新《宪法》，将以人为本、彻底消除大学教育中的种族隔离、发展公民素质作为高等教育的改革目标。这一指导思想在新的课程改革方案中得到贯彻。2000年5月，南非教育部出台了《课程2005》，提出了“以结果为本位”的高等教育改革与评估的理念，制订了新南非大学新世纪发展的蓝图。[①]“以结果为本位的教育”，对各学习领域的学生，在不同年级或阶段要达到的水平，进行了清晰的规定，并制定了相应的评价标准。

20世纪80年代中期以前，南非政府对教育质量比较重视，但衡量的标准较为单一。衡量南非高校毕业生质量的一个评价标准就是，毕业生是否能够在英国的大学里继续高一级学位的学习。[②]1987年，南非大学校长委员会成立，以强化对大学的管理。次年，理工学院教育证书委员会成立，目的在于监督理工学院的办学质量，它有权禁止理工学院向达不到最低毕业标准的学生颁发毕业证。新南非成立之后，非国大提出要重新设计高等教育的框架。在种族隔离废除后，1995年，南非大学校长委员会成立了质量促进处，以实施对大学的学术审核，促进大学内部的质量鉴定与监控。工科院校的质量评估保障工作则由工科技术教育证书委员会负责。

1995年2月，南非政府提出要在平等、民主、发展、质量、学术自由、机构自治、效率等原则基础上建立一个完整、统一的高等教育体系。[③]高等教育被纳入国家证书框架进行管理。

---

① Department of Education. Revised National Curriculum Statement Grades R-9 (schools) [R]. Pretoria，2008：9.

② Michael Smout &Sandra Stephenson. Quality Assurance in South African Higher Education：A new beginning Quality in Higher Education[J]. Vol. 8. No. 2，2002：199.

③ 陈珊 . 南非高等教育质量外部保障体系研究[D]. 武汉：华中师范大学，2008：10.

为了适应外部社会的快速变化，为学习者提供一个清晰的学习上升通道，即教育训练与培训路径，促进终身学习，南非政府需要建立一种新的教育和培训制度。南非资格局于1995年成立。[①]1995 年10月4日，《南非资格局法案》的通过，标志着南非高等教育质量保障进入法律程序。

1996年，国家高等教育委员会发表了《国家高等教育委员会报告：变革框架》，具体阐述了质量保障的问题。继国家高等教育委员会的报告之后，1997年颁布的教育白皮书第3号《高等教育改革计划》指出政府在促进高等教育系统质量提升和保障方面必须发挥重要作用。[②]

1997年颁布的《高等教育法》，要求建立一个专门的高等教育质量委员会，来负责全国高等教育的质量监管工作。该委员会承担机构审核、项目认证，以及质量提高和能力发展等具体职责。该项法案还规定成立教育与培训质量保障团体。

1998年，南非资格局颁布《南非资格局条例》。南非资格局以该法案为依据，确定了统一的国家资格框架，来统一衡量学生的学业成就。国家资格框架的根本目标包括：增加教育、培训及就业机会，促进各级各类教育、培训和就业渠道中的人员流动和晋级；提升教育与培训的质量；加快纠正存在于教育、培训和就业领域中的歧视，并以此促进学习者个体，对社会、经济整体的全面发展做出贡献。框架分八级，贯通基础教育到博士后教育。

1998年，教育部成立了高等教育委员会来负责全国的高等教育事务。为强化对高等教育的评估和管理，根据1997年的《高等教育法》，2001年5月，高等教育委员会将以往的南非大学副校长委员会质量促进处与工科技术教育证书委员会合并，成立了高等教育质量委员会，负责高等教育的质量保障。这个永久性的委员会组织了一个董事会来负责日常运作。有两位成员来自高等教育委员会，其中一位任主席，其余成员从高等教育机构选举产生。

---

① SAQA. NQF History[EB/OL]. http://www.saqa.org.za/show.php?id=5659.

② Department of Education. Education White Paper 3：A Programme for the Transformation of Higher Education[R]. Pretoria：Government Gazette. No. 18207，1997.

董事会下设五个部门，即执行委员会、政策发展与评论委员会、认证委员会、机构审核委员会和理解备忘录代表委员会。董事会每届任期3—4年，每季度举行一次例会，讨论和处理高等教育评估问题。每年向高等教育委员会报告评估结果。高等教育委员会据此提出年度报告，对高等教育机构所取得的成就及存在的问题做出详细说明。

高等教育质量委员会的主要职责为：提升高等教育的质量，审核高校的质量保障机制，对高校的课程进行认证。审核的目标在于：①使高等教育机构能够向自身和利益相关者提供发展、维持和完善教育质量的相应政策，并对系统和程序的正当有效运行发挥作用；②使教育提供者和委员会能够认识高等教育机构的优缺点所在，以及短期、中期和长期发展中需要集中加以改进的地方；③为高等教育的质量管理提供一致性，对高等教育的质量管理的总体状况做出判断，并监控和提高整个高等教育保障系统的水平。[①]

2005年，高等教育质量委员会官方网站开通。高等教育机构可通过网站进行认证申请、接受评估、获得反馈、流程追踪等。高等教育质量委员会成立以来，主要承担五个方面的职能，即院校审核、教学项目认证、国家评估、质量提升和能力发展、自我评审。它已成为南非高等教育质量保障最为核心的把关者。[②]

（二）实施院校机构认证

高等教育质量委员会根据《高等教育的变革》白皮书的要求，2005年设计了适合于公私立高校的认证制度。该制度包括：机构审查与项目认证框架、机构审查与项目认证标准、质量管理研究优质实践指南。目的在于通过高校的认证与再认证制度，培养高校的质量意识，保护学生的权益，促进高校根据高等教育委员会的标准进行自我评估，改进高校的办学质量。

院校审核制度具有透明的程序及清晰的审核标准。

---

① 严芳．南非高等教育质量审核的新标准[J]．中国高等教育评估，2004（3）：61-64.

② 胡月．南非高等院校审核研究及其启示[D]．上海：复旦大学，2010：15-16.

1. 项目的认证程序

包括对新项目与已有项目的认证（见表5-1）。新项目认证主要分为资格申请和认证两个阶段：

（1）资格申请阶段

高等教育机构要根据高等教育质量委员会制定的认证标准对新项目进行自我评估；制订新项目实施规划；评估小组评估（如果有必要，可以进行现场办公）；董事会做最终决定；在高等教育质量委员会官方网站公布认证结果；中期报告，阐述项目实施的进展、是否有条件开展下一阶段的现场评估、是否交流评估结果等。

（2）认证阶段

高等教育机构证明新项目已经达到上一阶段的认证条件，根据制定的认证标准对新项目进行自我评估，并上交高等教育质量委员会；高等教育质量委员会评估小组评估（如果有必要，可以进行现场办公）；公布评估结果（包括现实的不足、差异和疏忽）；高等教育质量委员会将报告反馈给认证申请机构，由该机构签署意见，再上交高等教育质量委员会董事会；董事会决定后形成最终报告反馈认证机构，并在官方网站公布最终的认证结果；被认证机构在收到反馈结果后的6个月内提交修改计划；高等教育质量委员会将在其后的2—3年内对其进行再认证。[①]

高等教育质量委员会对认证的每一阶段规定了详细的认证内容，以及要达到的标准及其最低要求。整个申请和认证过程分为四个阶段：输入、过程、输出与效果、评估。评分等级分为优、合格、需要改进、未满足要求。达到前两者的将获得该委员会颁布的临时认证资格；达到“需要改进”等级的可获得有条件的认证资格；“未满足要求”等级的将不予认证。

---

① 陈珊．南非高等教育外部质量保障体系研究[D]．武汉：华中师范大学，2008：15-16.

表 5–1　申请阶段评估内容和标准表[①]

认证内容	相关因素	标准
项目设计	关于机构的使命和规划 学生和其他利益集团的需要 学术可信度 连贯性 清晰度 专业与职业教育的需求和特征 学习资源的发展	标准 1
学生入学、申请与选课情况	招生 法律问题 扩招 公平 成绩 专业需要 教育质量	标准 2
师资	学历 教学经验 评估能力 科研情况 员工发展	标准 3
	职位的数量与资历 全职与兼职人员情况 立法与服务条件 选举、任命、接收、薪水给付等程序 管理人员和技术人员	标准 4

① Higher Education Quality Committee. Criteria for Programme Accreditation[Z]. Pretoria：Council on Higher Education，2004，11.

续表

认证内容	相关因素	标准
教学策略	提高学生学习效果的重要性 机构类型、学生的构成模式 恰当的教学方法 教学方法更新 目标计划的实施和监督方法、评估结果和教学提升	标准 5
学生评价、政策与制定过程	内部评估 内部与外部适度 评估的效度和信度 成绩记录 安全问题 已修学分认证	标准 6
基础设施和图书馆资源	校道 设施与培训 图书馆规模 整合图书馆资源与课程的能力 管理和保存图书馆资料的能力 馆藏资源	标准 7
项目管理服务	信息提供 确认守纪与危险的学生 满足不同的学生需求 保证证书资格的完整	标准 8
研究生政策、制度和制定过程	政策、制度和制定过程 平等和机会 学生准备	标准 9

2. 认证过程与评估

获得实施资格的项目，在其第一届毕业生毕业后的一年内将接受高等教育质量委员会的评估。这一阶段要达到的标准有九项（见表5–2）：

表 5–2　认证阶段评估内容和标准表[①]

认证内容	相关因素	标准
项目的协调性	项目协调者的任务和责任 学生参与 确保证书完整性的政策及实施	标准 10
学生学术成长	学生与教师的发展 课程发展 对候补学生的学术支持	标准 11
教学互动	指导学生了解该项目的整体情况 教学方法 适当的学习机会 学生参与教学互动	标准 12
教学评价	教学的完整性 内外评估 内外适度 可行性 严格性与保密性	标准 13 标准 14
以工作为基础的学习协调	交流 记录体系 监控体系 咨询体系	标准 15
引进研究生学位	研究生学位管理 评价 学生入学与选课制度 选择和认定导师标准 指导师生确定各自角色与责任	标准 16
学生保留与毕业率	信息检测 辅导活动 班级情况	标准 17

① 陈珊．南非高等教育外部质量保障体系研究[D]. 武汉：华中师范大学，2008：19.

续表

认证内容	相关因素	标准
项目的效果	学生就业率 项目的被认可度	标准18
项目反思	调查 反思 结果分析 制订改进计划	标准19

（三）实行院校审核制度

2001年，高等教育质量委员会成立了机构审核委员会。通过问卷调查、访问咨询、建立专门机构和制度试行四个环节，并通过调查公私立高校、利益相关者，了解其对机构审查的态度。在此基础上制定了质量保障政策，并督促各高校落实到教学质量中去。2004年，该制度进入试运行阶段，开始进行为期6年的高校质量审核。

机构审核委员会审核与评估分为六个具体的步骤：其一，每个需要审核的高等教育机构根据高等教育质量委员会制定的标准，提交自评报告和机构的具体情况介绍。其二，高等教育质量委员会组织包括国内和国际同行在内的专家组，对每个审核对象的相关利益团体进行为期几天的访问，进一步搜集掌握相关资料。其三，由机构审核委员会出具审核报告，提交至质量委员会，并将报告提供给审核机构。该报告包括对该机构的赞许和进一步改进的意见和建议。其四，机构将在委员会给予的5个月时间内向机构审核委员会（IAC）提交一份《机构提升计划》，该计划必须包括针对委员会提供的已经做出的改进及具体的实施计划。其五，机构在收到审核报告三年内必须向机构审核委员会提交进度报告，并同时向高等教育质量委员会申请审核。其六，审核过程中所需的所有资料和报告全部通过高等教育质量委员会的审核，审核过程才算完成。①

① 李肖．南非教师职前培养的发展历程[D]．金华：浙江师范大学，2015：33-34.

第一个审核周期结束后，在第二个周期开始之前，机构审核委员会开始实施质量改进项目，进一步关注学生，促进学生专业发展和提升社会价值。高等教育质量委员会依据《机构审查框架》和《机构审查标准》对全国高校进行评估。

高等教育质量委员会院校审核是指对南非高等院校的教学、科研、社区服务以及相关教学服务等方面的院校内部质量管理系统的合理性和有效性进行审核。[①]第一轮审核架构标准分为三级水平：第一、二级水平均为一般审查。第一级审查学校的总体概况。第二级审查教学、研究与服务学习的质量管理。第三级水平为深入的详细审查，包括教学的深入审查，对科研水平较高的高校进行科研审查。各级水平设立了详细的审查标准。各院系首先对照19条标准进行自评，提交自评报告，详细陈述其与质量保障相关的具体措施，包括投入与产出等情况。然后，组织同行专家小组进行审核，并进行实地考察。最后，提出评审报告。对院校在质量保障方面取得的成就、存在的问题做出评价，并提出改进建议。

南非院校审核的范围涵盖两大方面的内容：一是院校使命、规划、资源配置和质量管理；二是教学、研究和社会服务。针对这两方面的内容，制定19条标准来衡量各个院校的质量。部分标准如下：

> 标准1–2涉及第一大方面的要求。
>
> 标准1要求院校具有明确的使命和目标，包括短期目标和优先事项。院校使命、规划是基于自身所在地区、国家和国际形势而制定的。为实现和监控这些目标和优先事项必须制定有效的策略。高校内部的人力、财政及各类资源必须为促进这些目标和优先事项的实现服务。
>
> 标准2要求质量管理的目标和机制同院校规划相结合。高校内部的财政规划要确保自身的发展、进步，提高高校教育质量，为教学、研究和社会服务提供充足的资源。
>
> 标准3–6是对教学方面所做的规定，其下设7个子项目：教学

① 胡月．南非高等院校审核研究及其启示[D]．上海：复旦大学，2010：16.

质量管理；学术支持服务；短期课程；海外课程；合作办学项目；补习中心和分校区提供的项目；证书发放。

标准7–10是关于课程开发、课程管理和课程评价的规定，其下设4个子项目：课程管理；课程开发和审批；课程实施相关人员；课程评价。

标准11–14是关于学生评价和学习成绩评定的规定，其下设4个子项目：评价管理；仲裁系统；评价的可操作性和公平性；认可先前所学。

标准15–16是对学术研究的规定。

标准17是对于研究生教育的质量保障、提升和监控具有有效管理。

标准18是关于社会服务的规定：重视关于社会服务的管理，适当地促进教学管理质量。

标准19是关于基准测试的规定，即开展使用者反馈调查。院校通过开展使用者反馈调查，为质量保障和提高，以及自身规划和设定优先事项提供依据和参考。①

南非的院校审核制度注重绩效改进，要求审核3年后，被审核学校需要提供一份中期报告，说明改进情况。

三、推动合作治理

合作治理依据联合型原则，允许政府外部力量和各种教育协会或机构发挥作用，实施具有计划性、协调性的掌舵型治理模式。政府制订目标、教育专家参与建议、利益集团进行预测、高教系统发挥自主作用，多方根据联合型原则制约前行。②

---

① 胡月. 南非高等院校审核研究及其启示[D]. 上海：复旦大学，2010：17–18； CHE，HEQE. Institutional Audits Manual 2007[R] [EB/OL]. http:www. che. ac. za/documents/d000150/H EQC_Inst_Audits_Manua1–Sept2007. pdf.

② 方婷，李旭. 南非高等教育合作型管理的发展进程及其启示[J]. 比较教育研究，2013（6）：18–22.

（一）高校合作型治理政策出台过程

1994年，南非教育部成立了高等教育委员会，标志着新南非治理高等教育的开端。该委员会提出，建立国家资格框架，在教育部内建立新的治理结构，建立高等教育论坛和高等教育委员会。这是政府提出合作型治理思路及其治理机构的初步意向。此后，教育部颁布了《高等教育变革》绿皮书。绿皮书肯定了高等教育委员会报告的不少建议，指出合作型治理是处理政府、高等教育机构和利益相关者三者之间关系的关键性框架；高等教育委员会的成立有利于防止政府对高校干涉过多，影响高校自治；委员会组成成员必须包括专业人士在内，在合作治理中担任咨询角色。

1997年出台的教育白皮书第3号《高等教育改革计划》提出了建立高等教育合作治理模式，处理好高等教育与国家、社会、利益相关者、高校之间的关系，营造鼓励多元、尊重生命、维护尊严、相互协调的校园文化。①这是南非政府在治理高校中对教育管理部门与高校关系的定位。在《高等教育改革计划》中，政府也提出了高等教育治理的目标及改革的8项基本原则：公平与纠正不公、民主、发展、质量、效果和效率、学术自由、高等教育机构自治和公共责任。②

1997年的《高等教育法》则将合作型治理以法律的形式确定下来，提出应构建一个协调的高等教育管理系统，来实施合作治理，要求在各利益相关主体之间建立合作治理机构。

（二）合作治理的体系

1. 中央的行政治理机构

高等教育主要是中央的职责。南非高等教育的管理由高等教育与培训部负责。高等教育与培训部下设有高等教育委员会，它对涉及高等教育的各方面的事务进行调研，向部长提出政策建议。高等教育委员会下设高等教育质量委员会，负责对高等教育的发展进行监控，主要是通过院校审核对高等教

---

① Ministry of Education (South Africa) . Education white Paper 3: Programme for the Transformation of Higher Education[R]. Pretoria: Ministry of Education (South Africa), 1997: 10.

② Ministry of Education (South Africa) . Education white Paper 3: Programme for the Transformation of Higher Education[R]. Pretoria: Ministry of Education (South Africa), 1997: 11-13.

育进行外部质量保障。高等教育委员会还设有国家学生资助计划委员会。该机构根据1999年颁布的《国家学生资助计划法案》，主要负责管理国家对贫困生的资助资金的划拨，制定高校对贫困生的资助政策，推动高校入学机会均等。它也接受社会捐赠。南非资格局负责建立一个从小学到高校的资格框架，使各级教育机构的资格标准统一起来。

2. 各种专门委员会

南非各高等教育机构还成立了一些专门的委员会，来负责高等教育的质量提升、信息交流等方面的事务。如南非大学校长委员会、学生代表委员会、南非大学教育学院院长委员会等均对高等教育的质量起到监督和指导作用。

3. 学校内部治理机构

南非政府开始实施高校自治，高校内部也成立了各种委员会来参与治理，充分考虑到学校内部不同群体的利益诉求。大学的最高决策机关是大学董事会，董事会由大学校长、高级管理人员、教职工代表、学生代表、当地政府评价者代表、社区代表、校友会成员、捐赠者代表等人员组成。大学还成立了学术委员会，由大学教授和各系负责人组成。校长由董事会任命。董事会在任命校长前，会组织一个具有广泛代表性的委员会对校长进行初选。

如南非大学管理机构包括顾问委员会、管理委员会、大学理事会、院校论坛、学生代表委员会等。顾问委员会由26人组成，负责对大学发展提供政策指导和实施保障；管理委员会由16人组成，承担具体管理事务，保证各个方面工作与大学发展目标一致；大学理事会由200人左右组成，负责教学工作的指导、实施和监督；院校论坛是大学直接听取各方意见的通道，所有利益集团有权提出建议；学生代表委员会是代表学习者利益的团体，与大学形成紧密联系。另外，南非大学的教学管理突出系部职责，管理由副校长和研究委员会共同负责。[①]

南非高校内部这种多层次的管理机构鼓励各方参与，是合作治理的体

---

① 方婷，李旭. 南非高等教育合作型管理的发展进程及其启示[J]. 比较教育研究，2013（6）：18-22.

现，能够从多视角考虑发展战略以推动大学全面发展。①但也存在着诸多不足，如1997年教育白皮书第3号《高等教育改革计划》和《高等教育法》并未规定合作治理中各方之间的利益如何平衡，没有指出教育部作为主要的利益相关者的立场，也没有指出对教育部在资金使用效率和成效的问责，致使它们投向依赖于公共资金的大学和理工学院。②

南非的高等教育在大学合并之后，更趋向于中央统一管理。因为合作型治理最后还是高等教育与培训部长有最后的决定权。如在高校合并过程中，教育部权力过大，合并完全体现教育部的意志，而高校在其中缺少话语权，因而有南非学者提出了合作管理与有条件自治的大学治理模式。③

第三节　成效与不足

南非政府通过采取多种方式对高等教育进行治理，南非高等教育取得了一定的成绩，如入学机会变得更加均等，入学人数大规模上升等。然而，南非高等教育治理也存在诸多问题，如政府对其他治理主体的积极性调动不够，没有处理好公平和效率之间的关系。

一、治理成效

通过政府和各方力量的不断推动，南非高等教育治理取得了一定的成效。

（一）治理目标正在逐步实现

1. 入学机会变得更加均等

新南非政府成立后，在教育公平方面做出了诸多努力，通过政府将高校

① 李亚婉．南非大学的教学、管理、评估与服务体系[J]．开放教育研究，2003（4）：34-36.

②③ Martin Hall and Ashley Symes. South African higher education in the first decade of democracy：from cooperative governance to conditional autonomy[J]. Studies in Higher Education Vol. 30，No. 2，April 2005，pp. 199-212.

管理权收归中央政府管理、在资金投入上对黑人学生进行倾斜等政策，在高等教育公平方面取得了较大进展。

非洲黑人、有色人种和印裔学生进入高校就学的总人数从1993年的18.86万人上升到1997年的26.65万人，年均入学增长率超7%。到2000年时下降到24.51万人，年增长率下滑不到1%，此时这些学生占总入学人数的三分之一，其中黑人学生的入学比例从55%上升到65%。2007年，约有76.11万人接受高等教育。[①]另有研究表明，1986年，南非高等教育的毛入学率为11%；到1995年，提高到14%。公立高校的入学人数从1994年的52.5万人增加到1998年的60.8万人；到2004年，高校入学人数扩大到74.4万人。在各种族录取方面，非洲黑人群体入学率从1994年的9%上升到2011年的14%，2011年白人群体入学率下降到57%。[②]

南非政府也力图通过改变高校人力资源的构成，来促进种族的平等。以往高校教职工多为白人，这影响到了研究生等学术候选人的多样性。政府通过资助培养研究生成为学术后备力量，来改变高校教职工的种族构成。随着高校教职工人口构成的老化，1994年，高校80%的专业人员是白人，黑人占12%，有色人种和印裔各占4%，女性占34%。[③]据南非高等教育管理信息系统统计，2005年黑人在教学科研人员中占37%，在管理人员中占56%，在服务人员中占97%，女性相应的比例为42%、60%和39%。由此可见，虽然离实现公平的目标还有相当的距离，[④]但黑人在高校人力资源构成中的比例在增加，这在某种程度上减少了黑人入学的阻力，为黑人学生接受高等教育提供了机会。

---

① 陈晨．后种族隔离时期南非高等教育公平政策研究[D]．金华：浙江师范大学，2012：49-50.

② 武学超．南非民主化进程中高等教育发展成就与问题审思[J]．比较教育研究，2016（4）：24-29.

③ The Council on Higher Education. South African Higher Education in the First Decade of Democracy［R］. Pretoria：CHE，2004：62.

④ 刘晓绪，陈欣．南非高等教育改革中的平权行动政策分析[J]．外国教育研究，2015（3）：62-74.

2. 入学人数大规模上升

南非政府在2001年《高等教育国家计划》提出后，进行高校合并，建立了一个统一的高等教育系统。高校招生规模的扩大，为南非扩大黑人入学创造了条件，促进了黑人入学人数的大量增加。

1995年，南非高校入学人数为57.1万人。[①]2016/2017学年度，大学注册人数为985 212人，高等教育入学率为18.6%，44%的大学专业人员具有博士学位，每百万人口中有2 530人具有博士学位。获得国家资助和担保贷款的大学生为225 95人。技术与职业教育训练学院招生人数在2016学年为741 542人。2015年，社区教育与培训学院注册人数为283 602人，每年培养技工21 188人。[②]

（二）治理主体多元化

高等教育的治理体系是大学、社会和政府三位一体的制度、组织与互动关系的合体。[③]总体而言，南非对高等教育的治理，更多是自上而下的干预。但经过南非政府多年的治理，南非高等教育的结构趋于完善，一个较为协调、分层的高等教育系统已经建立。南非通过完善的法律和相应的组织机构来进行高校治理。高等教育质量委员会、南非资格局以及国家资格框架等质量保障机构相互配合，相互协调，共同促进南非高等教育质量的提升。根据需要，国家先后成立了国家学生资助计划委员会、南非教育者从业委员会等组织。

内部治理结构进一步完善。根据1997年的《高等教育法》规定，高校内部一般有大学理事会、学术评议会、管理委员会以及学生治理与领导等组织。法案也对这些组织的权责作出了明确的规定。院校还根据实际，设置了各类管理委员会，如大学科研委员会、人力资源委员会等，对大学的治理提出具体意见。各类机构的建立，促进了大学治理向民主化方向发展。

---

① 牛长松. 南非公立高校招生政策的演变——教育公平的视角[J]. 外国教育研究，2009（3）：16-21.

② Department of Higher Education and Training（DHET）. Annual Report 2016/2017[R]. Pretoria：DHET，2017：58.

③ 李海龙 . 论高等教育治理能力现代化的内涵[J]. 江苏高教，2017（4）：21-28.

（三）治理内容日趋丰富

南非政府为提升高等教育的治理水平，近年来加大了对影响高等教育质量的多方面内容的治理力度，涉及高等教育的国际化、语言教育政策、私立高校、科学研究的治理等。

自2006年起，南非政府在高校合并、拨款方式以及限制招生人数等方面调整了政策，尊重高校自治，同时从强调政府权威转向合作治理，鼓励差异性发展。

规范了对私立高校的监控。1994年后，政府对私立高校的支持政策促进了私立高校的发展。1996年《宪法》颁布后，政府加强了对私立高校的干预力度，确定公私立高校的关系是合作性的，而非竞争性的。随着私立高校的繁荣，一些公立高校生源不足，政府担心公私立高校的合作在远程教育领域的无限扩张，会导致高等教育质量的下降。1998年，政府要求私立高等教育机构必须到教育部注册，获得南非资格局的认证，同时暂停了公私立学校间的合作关系。2000年《高等教育法修正案》，赋予教育部长更多监管私立高校的权力，开始对公私立高校合作进行了规范。

南非高等教育质量委员会加强了对私立院校的评估。私立高校的评估人员包括高等教育质量委员会工作人员、公私立学校的学者，即第三方来进行评估，使评估具有公平性。高等教育质量委员会将院校自我评估纳入了对其考核之中，要求院校建立起质量保障机制。对于没有建设内部质量保障机制的院校，高等教育质量委员会将不再为该校审批新的学习项目，并对现有的学科教学进行监控，如果在为期18个月的监管期限内，该校还没能初步建立起有效的内部质量保障机制，教育部将撤销其办学资格。①

开放本国的高等教育市场，积极吸纳外国高等教育机构入驻，同时加强对其进行质量监管。南非对来自南部非洲发展共同体的研究生的学费征收标准，与南非国内学生的学费征收标准是一样的。同时为来自发展中国家的留学生提供奖学金，这吸引了不少其他非洲国家的留学生来南非学习。

---

① 祝怀新，翟俊卿．南非私立高等教育质量保障机制探析[J]. 外国教育研究，2007（5）：73-76.

二、存在的问题

（一）公平和效率之间的关系难以平衡

南非在实施高等教育改革之后，如何处理好公平和效率之间的关系问题一直是困扰南非高等教育发展的问题。高校需要招收具有资质且具有发展潜力的学生。但由于黑人所就读的中小学教育质量差，导致高校为了满足政府对种族平等的要求，招收的不少学生不能达到质量要求。国家在对贫困生的资助方面投入大量的经费，导致用于高校发展的经费不足。

经费投入不足的原因之一是南非政府没有处理好教育与经济发展的关系。一方面，南非教育改革雄心勃勃，但由于经济发展遇到阻碍，导致教育投入不足；另一方面，虽然各高校要求增加学费，以提高办学质量，因为种族隔离政策经常遭到学生的抗议，导致教学质量下滑。

导致南非高等教育不公平的主要原因是种族隔离政策。新南非成立后，消除种族隔离，促进教育公平，是政府亟待解决的问题。2004年，黑人适龄青年中仅有12%有机会进入高校，而白人青年却有60%的人能够接受高等教育。印裔学生和有色人种学生的高等教育参与率分别是51%和12%，族群之间的差异非常显著。[①]白人群体社区内，高等教育机构中的黑人学生比例仍较低；黑人群体社区内，高等教育机构中仍以黑人学生为绝对优势比例。造成这一结果的原因由传统的“种族歧视”开始转向“社会阶层”。[②]

南非教育部于2005年结束的一项调查中第一次对2000级和2001级的本科生进行了纵向研究。这项长达5年的研究对学生的成绩和毕业结果进行了深入的分析。调查的120 000名学生只有30%的学生顺利毕业，14%的学生仍在高等教育系统中学习，而剩下的56%的学生（将近65 000名）从高校退学。并且，在所有的研究和资格认证领域，黑人学生完成高等教育的比例还不到白人学生的一半，并且黑人毕业生总数远不及白人毕业生的数量。[③]随

①③ 刘晓绪，陈欣. 南非高等教育改革中的平权行动政策分析[J]. 外国教育研究，2015（3）：62-74.

② 武学超 . 南非民主化进程中高等教育发展成就与问题审思[J]. 比较教育研究，2016（4）：24-29.

着入学人数的增长，导致了部分高校教学质量的下降。有的高校必须对新招收的学生进行培训，才能使他们跟上大学的教学要求。由于经费有限，2000年，教育部新部长上任后，要求高校转向质量提升，进而开始启动大学合并的政策。

还有一种情况应受到重视，那就是平权行动导致的负面影响。南非教育治理最大的问题在于受种族隔离制度的影响较深，在教育上采取不少平权行动措施，其实质是一种对白人的反向歧视，严重影响到教育质量的提升。如南非许多大一新生挂科，南非高等教育与培训部部长认为，这主要是由于录取标准降低导致。①其实，平等不可能一蹴而就，平等也不完全是种族因素，黑人内部也存在着严重的不平等。平等只是一种目的，而非一种手段。否则，就会使学生缺少学习的积极性。

由于南非黑人毕业率低，教育部开始实行高等教育的规模控制。2005年，南非出台了《公立高等教育学生规模计划》，开始对入学人数的增长速度加以控制，转而强调学生的毕业率以及高校的办学质量。从本科成功率（包括推迟完成学业的学生）看，白人学生为82%，黑人学生为71%；从毕业率（按期完成学业）看，2010年黑人学生为16%，白人学生为22%。②由于政府对高等教育投入不足，无力缴纳学费以及学习积极性投入不够等多方面的原因，南非黑人大学生按时毕业率一直处于较低水平。大学扩招，教师数量不足，基础设施匮乏，进而导致高等教育质量难以得到提升。

平权行动中要求招收更多的黑人教职工，以做到教育公平。然而，黑人高级知识分子数量有限，制约了高校职业公平的实现。为了弥补本国黑人学者在数量上的不足，改善不适合黑人工作的校园文化，南非政府积极推动从

① Teacher training colleges make comeback [EB/OL]. http://www. news24. com/SouthAfrica/News/Teacher-training-colleges-make-comeback-20130124.

② 武学超. 南非民主化进程中高等教育发展成就与问题审思[J]. 比较教育研究，2016(4)：24-29.

非洲其他国家招聘优秀的黑人学者。[①]但这对南非高等教育质量造成了消极影响，使得不少未能达到高校教师任职资格的黑人教师在高校任教，而符合条件的白人学者却缺少机会。

在南非高等教育发展的过程中，公平和效率问题是两大突出的问题。但政府并未完全处理好二者之间的关系。在新南非成立之初，为了消除种族隔离的影响，促进高等教育的公平，颁布诸多的教育法案确有必要，有利于划清诸多教育主体之间的权力界限，但过多的条条框框压制了学校的办学自主权，限制了高校的发展。法案的不断出台，体现了非国大在高校治理中不断探索的尝试，但法律的朝令夕改，不利于治理体系的稳定。

（二）没有处理好传统与现实之间的关系

新南非政府没有意识到与发达国家，如英国在教育上的差距，在高校合并过程中过于激进，而忽视了真正的英国智慧，即改革的循序渐进。

在南非大学与南非教育学院合并过程中，教育学院原有的特色几乎尽失。教育学院原来重视学生实习和教师的实践，而大学更重视科研。教育学院一些好的课程被取消。在后期，高校合并过程中，一些有价值的课程被中止，一些优秀的管理人员也消失了。如南非大学的教师对南非教育学院的课程毫无兴趣，他们认为增加了自己的工作负担。合并后产生的课程委员会建议将南非教育学院的课程作为它们新的项目。但南非大学的教师对这些项目缺少兴趣，因而这些项目在2002年终止了。原因主要在于：南非大学认为合并过程中，他们完全受损；他们对教育学院的课程发展没有责任感，而且觉得学院的课程水平比大学低，因此大学的高级成员在合并后的课程发展中没有起作用；而南非教育学院的教职工都希望参与建设课程委员会的工作，以避免自己的项目被取消，这就产生了矛盾。总之，合并导致教师职业生涯的突然中止、转向，对教师的职业生涯造成了消极影响，对于教职工来说都是巨大困境。[②]

① 顾建新，牛长松，王琳璞．南非高等教育研究[M]．北京：中国社会科学出版社，2010：302.

② M X Mfusi. The effects of higher education mergers on the resultant curricula of the combined institutions[J]. SAJHE：Unisa Press，2004，18（1）：98–10.

民主政府建立后容易走上民粹主义的道路。在全球化时代，教育改革应根据本国实际，根据教育自身的发展需求，来选择一条适合的道路。新南非成立后，国家各行各业的管理者包括教育部长都换成了南非黑人。然而，由于种族隔离时期的政策影响，黑人并未受到良好的教育，教育治理能力明显不足。

（三）高校的自治与问责未找到平衡点

南非高校具有自治的传统，但经过高校合并，政府通过外部质量控制、拨款等手段，强化了对高校的控制，使得高校的自治传统几乎荡然无存。

受新管理主义思想的影响，南非政府强调高校的绩效与社会责任。这体现在《高等教育改革》绿皮书和《高等教育改革计划》白皮书之中，要求高校做到“对得到的经费的使用要能加以解释，并证明对教育资源的利用取得了什么样的成果，要能说明本机构的发展在多大程度上与国家的政策相协调”[①]。1997年《高等教育法》指出，要保持院校自治和公共问责之间的平衡。但在实践中，政府更多地强调问责，忽视了南非大学所具有的自治传统。

南非政府建立的各种质量保障制度，实际上不利于大学的自治。从南非高等教育质量保障体系的政策背景、目标和职能来看，高等教育质量委员会属于官僚政治模式，这种质量评估模式往往与高等教育的外在目标相关联，反映的是外部质量保障机构和政府的价值与兴趣，通常是政府为了达到指导、监控高校的目的而发起的。国家资格框架有利于职业资格体系的建立，但无法对学术进行合理评价。学者恩索尔（Ensor）指出，南非资格局将教育与培训整合在一起的做法，忽视了不同高校的不同知识逻辑，对于高校复杂的学科知识和科研并不适合。[②]

---

① Ministry of Education（South Africa）. Education white Paper 3：Programme for the Transformation of Higher Education[R]. Pretoria：Ministry of Education（South Africa），1997：10–14.

② 牛长松，顾建新．南非高等教育质量保障体系：框架、特色与挑战[J]. 比较教育研究，2007（12）：45–50.

第六章　南非教师教育治理

自从1994年废除种族隔离制度以来，南非政府对教师教育体系进行了一系列的改革。改革的主要目的在于解决种族隔离时期教师教育体系遗留下来的问题，培养共和国的“新教师”，促进民主转型。为了提高师资培养质量，南非改组了所有的独立教育学院，并对大学的教育系实施机构调整，完成了教师教育的大学化，但这又导致了教师数量短缺的困境。为了解决师资数量缺乏的问题，并提高教师教育的质量，南非政府采取的主要做法是：颁布各种促进教师教育发展的相关法律；进行教师教育机构改革，改革培养模式，增加各类培训项目；建立质量保障体系，包括进行质量管控，提高质量标准，实施质量评估制度。

第一节　治理缘起

南非为扭转种族隔离所带来的不平等事实，改变教育中的不平等现象，对教师教育进行了改革。南非的教师数量严重不足，而且合格教师也非常缺乏。教师教育机构的分布也不均衡。教师教育管理体系条块分割，不同种族中小学师资培训的主管部门不同，并由不同的机构来进行培养。为了提高师资培养质量，加强对教师教育的控制，南非政府开始对教师教育的问题进行总结。

一、师资培训不平等

1896年1月26日，南非最古老的教育学院在西开普敦威灵顿市开办。它创立之初就为妇女提供了早期教育，成为当时南非的教育中心，后成为博兰德教育学院的一部分。[①]虽然南非教师教育起步较早，但存在不少不足。

1. 种族隔离色彩浓厚

根据1910年的南非《宪法》，师范教育主要的目的是培养小学教师。1948年，南非国民党上台后制定的种族隔离制度，根据种族的不同来培养师资，颁布了一系列强化种族隔离的法律。如《班图教育法》实行教师教育的种族隔离制度，白人、黑人、有色人种、亚裔四种不同的教育体制中的教师教育管理与培训体系存在着较大差别。全国没有统一的教师教育制度，师范教育的管理是条块化的。南非设有19个不同的教育部，根据种族和民族属性不同，由不同的部门来对师资培训进行管理。白人的小学师资由省级教育行政部门管理，由白人的教育学院负责培养。印裔学生的教育由下议院、有色人种的教育由参议院、黑人的教育由教育与培训部或"家园"教育部来分别负责。有色人种和印裔的小学师资，由为其开办的教育学院分别培养。西开普敦大学为有色人种培养中学师资。德班－韦斯特维尔大学为印裔培养中学师资。1984年，南非《宪法》制定了三院制议会，分别管理各种族的教育。白人、有色人种和亚裔的教师教育分别由白人的参议院、众议院和下议院管理。黑人在议会中没有代表，因而无法反映其利益诉求，这对其教育的处境极为不利。

表 6-1　1987-1988 年南非黑人、白人大学生所占总人数的百分比[②]

年份	黑人（%）	白人（%）
1987 年	3.5	31
1988 年	5	42

从表6-1可以看出，白人大学生约为黑人大学生人数的9倍，但当时黑

① 该教育学院2000年与莫布雷教育学院（Mowbray College of Education）以及开普理工学院合并，成为今天的开普半岛科技大学（Cape Peninsula University of Technology）。The oldest teacher training college in South Africa opened. http://www. sahistory. org. za/dated-event/oldest-teacher-training-college-south-africa-opened.

② C. C. Wolhuter. Teacher Training in South Africa：Past，Present and Future [J]. Education Research and Perspectives，2006（2）：130.

人是白人总人口的6倍。这充分反映了种族隔离教育的不平等。而这种不平等体现在教师教育体系中，白人教师被视为专业人员，受到较高的尊重和良好待遇。而黑人教师被视为“工人”，且待遇低下。黑人受高等教育机会有限，这导致与白人相比，黑人师资水平和教学水平更差，这就形成了一个恶性循环。

2. 教育行业存在严重的性别歧视

与男性教师相比，女性教师待遇较低。1985年，200多个青年在社区、教育和宗教组织支持下发起成立了全国教育危机委员会，该委员会提出要建立一个统一的、不分种族和性别的教育制度，许多进步白人也加入到反对种族隔离的队伍中来，并提出了“人民教育”的口号。[①]在国际社会的压力下，南非当局进行了带有部分民主色彩的变革，扩大了黑人，尤其是黑人女性受教育的机会，促进了黑人教师教育的发展。但总体而言，由于其种族隔离的性质以及对女性的歧视未发生根本变化，白人和黑人师资培训机构在培养目标、课程设置、资格认证、教师继续教育方面存在着较大区别，这导致师范生培养在性别、质量方面存在着较大差异，这直接影响到教育质量。即使在种族隔离制度取消后，它仍然影响着南非教育的质量。

3. 教育院校体制不健全

在20世纪90年代，教育类学院和大学的分工进一步明确，教育类学院负责小学师资培训，教育类大学负责中学师资培训。但教育类大学与学院缺少合作，这导致了教师教育培训体制支离破碎，不利于教师教育质量的提高。截至1994年，南非共有教育学院约120所。36所自治的大学和理工学院也提供师范教育，但主要是为中学提供师资。直到20世纪90年代中期，南非的大学会集中培训中学教师，而小学教师由各省教育学院培养。这充分说明，政府将教育学院视为中等教育机构，而非大学来进行管理。与大学和理工学院相比，教育学院缺少自治权。每所学院成立一个理事会，负责学校的管理、财务与专业事项，理事会直接对教育厅负责。课程与考试也由教育厅负责。

---

① 李建忠．战后非洲教育研究［M］．南昌：江西教育出版社，1996：207.

4. 教育学院的培养成本高、质量低

在种族隔离时期，南非共有32所自主大学和理工学院以及105所教育学院负责教师教育。说明南非的教育学院为南非教师职前培养提供了大量的人才。据统计，南非所有教育学院在1994年共培养了17 655名新教师，而大学只培养了7 625名①，分别约占全年新教师的67.1%和30%。

但教育学院的师生比是1∶10，而大学的师生比为1∶20。②这说明教育学院的培养成本远远高于大学，这是由教育学院培养小学教师的单一性决定的。此外，教学语言导致了教育质量的不平等。黑人学生在就读的教育学院，不仅需要掌握非洲语，还需要掌握英语和阿非利卡语，这增加了他们的学习负担，使他们将大量的时间运用于语言学习，降低了他们与白人的竞争力。

二、教师供需失衡

20世纪90年代初，南非各省教育学院培养的师范毕业生远远超过学校的需求。1994年南非的失业率高达50%，这意味着在有劳动能力的人中，有600万人没有正式工作，且每年还会新增30万左右的失业者。其中每年师范毕业生约有25 000人找不到工作，这在黑人教育学院中体现得更明显。③

黑人教育学院多设在农村，且受种族隔离的影响，它们只能教授宗教、历史和文学等人文学科，而中小学急缺的数学、外语、物理和化学等学科教师，它们却无法培养。教师教育缺乏起码的准入标准和共同的资格标准，无法为学生在教师教育项目的学习中提供指引。教师教育培训分散在281个机构之中，这些机构有大学、教育学院、理工学院、私立学院和非政府

① Kruss, G.（2008）. Teacher education and institutional change in South Africa[R]. Cape Town: HSRC Press, 1.

② Sayed, Yusuf. Changing Forms of Teacher Education in South Africa: A Case Study of Policy Change [J]. International Journal of Education Development, 2002（22）: 381-395.

③ 甘杰 . 后种族隔离时期南非教师教育机构改革研究[D]. 金华：浙江师范大学，2014：28.

机构。教师培养质量差，效率低下且培养成本高。[①]教育学院规模普遍较小，人数多在400人以下，总体生师比为10∶1，生均成本在4万兰特，而大学教育学院的生均成本在1万兰特。[②]因此，消除种族隔离，减少经济压力，改变小学师资培养供过于求的状况，是政府关闭独立教育学院的主要动因。

在1995至1996学年，西开普省的生师比存在着种族间的不平衡：黑人的生师比为41∶1，其他有色人种为23∶1，白人则为19∶1。与其他省相比，西开普省的平均生师比为24∶1，而这个指标在东开普省则为41∶1。因此政府成立了教育劳动关系理事会，负责将教师从过剩的地区重新调配到教师短缺的地区，实现教师资源的合理化。[③]

影响教师需求的因素主要有三个：教师的供给、教师流失率、师生比。南非政府将教育学院关闭，为后来师资短缺埋下了隐患。教育学院的关闭导致大学师范生注册人数大幅度减少。1994—2000年，师范生注册人数由70 731人下降至10 153人。[④]师范生注册人数减少的主要原因在于：其一，大学对入学条件要求更高，学费远远高于以前的教育学院，并且以往给予师范生的津贴取消了；其二，大学更集中在大城市，学生的交通费、生活费等支出增加，农村学生进入大学更为困难；其三，教育学院教师仍然属于省教育厅的雇员，其工资待遇和原教育学院校舍的维修资金并没有转给大学；其四，大学并未从中受益，相反还必须承担更多的任务，这导致大学对师范生的培养并不热心。

自教育学院改革之后，南非中小学教师一直存在着较大缺口，尤以农村

---

① Nolutho Diko. Teacher Education. Editor：Vijay Reddy，Andrea Juan，Thenjiwe Meyiwa. Towards a 20 year review：Basic and Post School Education[R]. Cape Town：HSRC Press，2013：60.

② Lewin，K.，Samuel，M. and Sayed，Y.（eds）.（2003）. Changing Patterns of Teacher Education in South Africa[M]. Sandown：Heinemann Publishers Ltd，91-107.

③ 荣黎霞．发展中国家如何致力于更加公平的教育——以印度和南非为例[J]．比较教育研究，2007（2）：1-5+92.

④ Whitfield Green，Michael Adendorff，Bongekile Mathebula.（2014）.‘Minding the gap?’A national foundation phase teacher supply and demand analysis：2012-2020[J]. South African Journal of Childhood Education. 2005，4（2）：1-23.

小学教师短缺问题更为严重。这体现在2005年南非多个部门的报告和研究之中，如教育部在《未来教师：实现全民教育面临着教师短缺》报告中指出，在教师教育机构改革后，大学每年只能培养5 000—7 000名师范生，只占未来所需补充教师的三分之一，未来5—10年将会出现教师短缺。①大学教育学院院长论坛指出，每年需要补充中小学教师20 000人，但高等教育机构只能培养约6 000人。②人文科学研究委员会的一项研究表明，只有16.5%的师范生愿意获得小学教师资格，相比而言，53.8%的师范生愿意获得中学教师资格。到了2009年，基础阶段（学前到小学三年级）教师缺口为4 579人（预计教师流失率为4%），而当年该阶段的师范毕业生人数为1 275人。尤其是教非洲语的教师更为缺乏。③同年，农村教育部长级委员会在报告中指出，农村缺少有资格和能力的教师。问题集中体现在：复式教学和大班额教学中，学校设备资源不足，教师专业发展项目有限；大学培养的新教师数量不足，不能满足当前教师需求。需要采取措施吸引年轻人进入师范专业就读，并使之毕业后乐于从事教师职业。④

农村教师的社会地位低，待遇差。接受过大学教育的师范生，不愿意前往农村工作。以往教育学院培养的师范生面向本地，受种族隔离影响，城市中向黑人毕业生开放的职业种类不多，教师队伍相对稳定。随着种族隔离的废除，越来越多的就业机会向黑人师范毕业生开放。他们更容易在其他行业或城市找到工作。如调查显示，大约有55%的教师考虑离职，其中农村学校教师为46%，而城市教师这一比例更高，如西开普省和豪登省分别为73%和

① Department of education. Teachers for the future：Meeting teacher shortages to achieve education to all[R]. Pretoria：Department of Basic Education，67.

② EO Mashile. Supply and demand for teachers：is open and distance learning an answer[J]. Africa Education Review，2008，5（2）：351-363.

③ Whitfield Green，Diane Parker，Roger Deacon & Graham Hall. Foundation phase teacher provision by public higher education institutions in South Africa[J]. South African Journal of Childhood Education，2011，1（1）：109-122.

④ Haroon Mahomed. Challenges and prospects for improving teacher education and development through the National Policy Framework on Teacher Education and Development[J]. Africa Education Review，2009，6（1）：159-173.

68%。这是因为农村教师缺少流动的机会和职位。[①]

教师艾滋病感染率高也是教师流失的一个原因。有研究表明，2015—2016学年度，在58 000被调查者当中，南非教师艾滋病毒感染率为15.3%，是2004年调查的1.2倍（2004年感染率为12.7%）。其中34—44岁教师的感染率为22.4%。在2004年调查时，25—34岁教师的感染率为21.4%。女性感染率高于男性，其中35—44岁教师群体中，女性感染率为23.2%，男性为20.4%。[②]

三、专业化水平不足

在种族隔离时期，南非教师职前教育主要由教育学院负责。学院开设的课程与高中类似，师范生需要经历大量的考试，完成国家所规定的课程，不被鼓励独立思考。教育学院也很少期望教师成为专业人员，或从事教育研究的工作人员，只需要胜任教授政府规定的课程即可。1966年，联合国教科文组织颁布了《关于教师地位的建议》的文件，提出了“教师应该成为专业性职业”的建议。各国纷纷进行教师教育改革，颁布教师专业化的政策文件。1972年，英国发表《詹姆斯报告》，将教师教育分为职前培养和在职培训。受此影响，1975年英国政府将中小学教师任职资格提升至大学教育程度，对教师实施广泛的在职进修活动。同时，由于教师数量的饱和，英国政府不再支持教师训练学院的发展，导致不少教师训练学院与大学合并。20世纪80年代，英国政府完成了教师教育的大学化。20世纪90年代以后，英国开始了中小学和大学的合作，以培养中小学师资。这些变化对南非教师教育有一定的影响。

为了实现种族上的平等，1996年南非教育部开始实施教师合理化与再分配（Rationalization and Redeployment）政策，这导致大量的白人教师和有经

① Department of education. Teachers for the future：Meeting teacher shortages to achieve education to all[R]. Pretoria：Department of Basic Education. 2005，August. 73.

② Zuma，K. ，etc. and the Educator Survey II Study Team. The Health of Educators in Public Schools in South Africa 2016[R]. Basic Education Department of Education. Cape Town：HSRC. 2016：3.

验的临时教师离职。为了符合教育部规定的种族平衡标准，不少学校不得不大量雇用不能胜任的黑人教师，进一步导致教师质量下降。由于政府缺乏严格的纪律监督，这些教师既缺乏能力，又缺乏意愿去认真组织教学。校长也缺乏相应的权力去解聘不合格教师。[①]为了维持教育部提出的师生比，对学校教师数量的总量控制，教师数量被削减后，不少教师不得不面对大班额，导致教育质量下降。同时，越来越多的教师开始在政府部门获得任职，或到非政府机构或私营机构任职，也导致教师职业缺乏稳定性，政府对优秀教师缺乏奖励，使得他们对自己的专业发展缺乏关注，教师质量水平和教学水准下降。

在此影响下，新南非颁布了《教师教育规范和标准》《南非国家教师教育和发展国家政策框架》等政策文件，就是以提升教师的专业化水平为目标的。

第二节　治理措施

为了解决南非教师队伍中存在的问题，南非政府在教师教育的治理上实行制度创新，采取多元共治的方式来提升教师教育的质量。主要是通过立法来进行规范，经过调查后出台相应的报告和发展规划，制定各种专业标准以及重视质量保障体系的建立。

一、政策导向

（一）发布有关教师教育的政策和法律

南非政府注重通过制定政策和法律来规范教师教育。新南非政府成立后，颁布了一系列与教师教育相关的法律和政策，以促进教师教育发展。

1993年11月18日，参与多党合作谈判的19方代表签署了包括临时宪法

① SG Hosking. Government-induced teacher failure in South Africa-causes and analysis[J]. Development Southern Africa Vol 17，No. 5，December 2000：641-665.

草案、选举法草案、地方政府草案等文件。1994年1月，非国大发布了《教育与培训政策框架》，提出了关于未来教育改革的构想以及“教育新政策”。

1994年，南非政府发表了《重建与发展计划》白皮书，将教师教育作为发展人力资源的关键项目。1995年，出台了《国家资格认定法案》，规定设立南非资格局，以认定教师教育的质量标准和教师教育机构的资格。2002年5月，教育部和劳动部联合颁布了《国家资格认定框架》，以落实《国家资格认定法案》对教师教育的质量保障要求。据此，教育部于2003年成立了一个教师教育部长级委员会（Ministerial Committee on Teacher Education）负责制定教师培训的整体框架。经过两年的工作，2005年，委员会发布了《南非教师教育国家框架》的报告。2008年8月，南非政府颁布了《国家资格框架法案》，规定了教师教育各培养层次的标准。

（二）制订相应的发展规划

2007年，南非教育部发布了《南非教师教育和发展国家政策框架》，其目标在于培养“更多教师、更好教师”。然而，2009年，南非教育部被分成基础教育部和高等教育与培训部。这使得该框架此后分工不明确，导致难以实施。同年，南非召开了教师发展峰会。这是南非与教师教育相关的机构的一次盛会。南非基础教育部、高等教育与培训部、南非教育工作者理事会、教育培训发展与训练局、教育劳动关系理事会、高等教育教育学院院长论坛和教师工会等机构团体参加了这次会议。在峰会上，与会人员呼吁制订一项新的规划来促进南非教师教育的发展，改变南非教师质量低下的状况。

2011年，南非基础教育部和高等教育与培训部出台了《南非教师教育和发展综合战略计划框架：2011—2015》，提出了教师教育的国家发展规划。为了确保计划的实施，为教师教育与发展建立一个协调的国家制度，为高质量的教师教育与发展提供足够的时间和充足的资金，该框架建议实施第一个教师教育的五年计划（2011—2015）。其内容概要为：

一是要求建立国家、省级和地方各级的在职培训机构。规划要求，基础教育部在2015年前建立国家课程和专业发展研究院。其主要目标是开发与管理一个帮助教师识别并解决其自身专业发展需要的系统，确保学校教育中课程实施的可行性与关联性。教师自身专业发展需要的识别与解决系统是在专家型教师、各学科学术专家、优秀执业教师、非政府组织以及其他相关组织的共同指导下进行的。①其主要任务有：其一，开发内容框架，以展示与课程内容相关的理论与实践内容；其二，开发教师诊断性的自我评价系统；其三，开发符合教育学原理、内容丰富、质量保证、得到南非教育工作者理事会承认的继续专业发展课程；其四，开发和维护信息技术平台支持体系，以保证全国的教师都能获得高品质的教师专业发展机会；其五，确保新体系能与南非教育工作者理事会教师继续专业发展管理系统的对接及协作。②规划还要求，建立省级的教师发展研究院与建立地区性的教师专业发展中心。省级教育行政部门与基础教育部合作，基于关于国家规定的研究所与发展中心的标准与准则，对接国家地方发展计划，与省级教师发展研究院相协调，建立地区教师专业发展中心。改革已有的地区发展研究中心，使之符合标准，在缺乏教师专业发展中心的地区进行建设，帮助教师获得适当的在职培训机会。建立专业学习社区，强化教师的专业学习。专业学习社区引导教师参与不同的活动，如课程定向活动，帮助教师培养理解和运用课程及课程评估政策文本的能力。社区将帮助教师更新知识，补充最新的教育研究成果和实践。

二是建立开放的正规教育体系，培养熟练的在职教师和大量的新教师。其中包括：开发教师知识和实践标准。优化、拓展和扩大教师教育学院的承载能力。这分为三个步骤：首先，高等教育与培训部与大学合作，确保教师教育资源能得到充分利用。其次，提高现有培训机构的承载力，为新的教师教育发展提供资源，尤其是要确保农村地区的教师有接受继续教育的机会。最后，在必要的情况下，如在前两种措施采纳后，仍不能满足国家对教师数量的需求时，建立新的师范学校或教育学院。③

三是建立省级的教师教育委员会，告知公立高校的师范生招生计划，提

① 甘杰．《南非教师教育和发展综合战略计划框架：2011-2025》述评[J]．现代教育论丛，2016（3）：91-96.

② Integrated Strategic Planning framework Teacher Education Development in South Africa 2011-2025[EB/OL]. https://www. education. gov. za/Portals/0/Documents/Reports/Integrated%20Strategic%20Plan%20Teacher%20Dev%202011-2025. pdf?ver=2015-02-03-110453-033.

③ 冯文全，景帆．《南非2011—2025教师教育与发展综合战略规划框架》的解读[J]．天津师范大学学报（基础教育版），2014（2）：52-55.

供教师地区需求的依据。省级教师教育委员由国家教育部门的高级代表、省级教育行政部门的代表、该省大学的代表组成。

四是增加基础阶段中学前到小学三年级的教师供给。高等教育与培训部将与高校合作，强化对基础阶段师资的培养，培养更多的基础阶段的非洲语教师。

五是建立教学学校和专业实践学校，在教师教育项目中强化教学实践与学校经验。教学学校是一种“教学实验室”，实习生在这里从实践中学习，如观察最佳教学实践、进行微格教学训练和学习学科方法论课程。师范生则通过见习和实习，从专业实践学校中获得实际的学校经验。专业实践学校也被用作专业学习社区发展中心。师范生将延长在实践学校的周期。高等教育与培训部将颁布教学学校和专业实践学校的国家标准。教学学校将设在师资培训机构的附近。教学学校的职工将成为实习生的指导教师，并教授他们有关方法论的课程。教学学校将成为研究教与学的研究中心，反过来又有利于提升教师培训项目质量。专业实践学校中，实习生在实践中学习，他们准备课程、教学和反思课程。专业实践学校的教师将会成为实习教师的指导教师，确保新手教师们获得足够的支持和指导。

为确保规划的实施，基础教育部和高等教育与培训部还提出了具体的保障制度包括促进各方合作、提供足够的师资培训时间、建立教师教育与发展协调的国家体系、提供充足的经费等内容，还将成立国家教师教育与发展委员会。

（三）教师教育的大学化，合并教师教育机构

1. 合并的背景

在新南非政府成立之前，为了教育政策的平稳过渡，政府成立了国家教育协调委员会。该委员会于1992年提出了《国家教育政策倡议书》。倡议书建议，教育学院应在师资培训中起到核心作用，政府应通盘考虑城乡教师需求，采取措施提升农村黑人教育学院的建设能力。1994年，新南非政府成立后，消除种族隔离、实现种族平等成为了政府的主要施政方针。非国大政府颁布的黄皮书——《教育与培训政策框架》指出，国家高等教育系统应包括大学、理工学院和教育学院，教师教育应有统一的目标与标准。根据该报

告，师资培训统一由教育与培训部管辖。这也为后来教育学院合并到高等教育培训部提供了政策依据。

教育学院的存在体现了一种歧视性政策，它将不同种族的师资培训隔离开来，体现了种族和地域的不平等。于是，1994年非国大提出要改革这种不平等的教师教育体系。1995年，教育部成立了全国教师教育认证委员会，负责调查教师的供求、使用、教师教育机构以及教师教育项目的实施情况。调查认为，尽管有的教育学院表现优秀，但总体而言，教育学院效率低下，质量低劣；教师培训在大多数教育学院被认为是按照官方内容照本宣科。虽然对其财政投入并不高，但其失败率高得令人难以接受。①委员会接受了《教育与培训政策框架》的意见，认为教师教育改革的中心任务是提高质量而非增加数量。总体而言，南非师资培养体系呈现碎片化，教师供求不平衡，大量教师不合格或基本不合格。②

2. 合并政策的出台

在教师教育认证委员会的报告颁布后，南非各省教育厅相继提出了教师教育合理化的计划。教育厅做好了教育学院合并的准备，开始停止为教育学院或大学师范生提供新的津贴，教师由过剩的地区调往师资缺乏地区，由白人学校调往黑人学校，由城市调往农村，城郊调往居民点。根据国家颁布的指导师生比，来对学校进行规模调整。但这种通过高度竞争的方式来解雇教师，并雇用教师到师资缺乏地区的做法，并未改变学校师资不平等的状况。

1996年，全国高等教育委员会建议教育学院与高校合并。1997年，教育部发表的教育白皮书第3号《高等教育改革计划》采纳了这一意见，要求通过减少教育学院的数量来改变师范生培养供过于求的状况。据此成立了一个工作小组，其任务在于向政府建议教师教育将来在高等教育中的定位。1998

---

① Whitfield Green，Michael Adendorff，Bongekile Mathebula. “Minding the gap?” A national foundation phase teacher supply and demand analysis：2012-2020[J]. South African Journal of Childhood Education，2014，4（2）：1-23.

② Department of Education. The National Policy Framework For Teacher Education and Development In South Africa：more teacher better teacher[R]. Government Gazette，No. 29832. Pretoria：Department of Education，2007：6.

年，教育部发布了《教育学院与高等教育系统的合并：执行框架》的报告，正式拉开了教育学院合并的序幕。它只为教育学院不被合并提供了一种可能性，即如果一所教育学院注册人数超过2 000人，财政上可以独立维持，那么，教育学院可以自治、独立或升格为高等教育学院；否则，就会被合并到现有的大学或理工学院中。

合并后教育学院的教师出路是一个非常敏感的话题。2000年12月12日，负责讨论和决定公共雇员工作条件的公共服务统筹协商理事会，针对合并后可能产生的人事问题，达成了一致意见。它发布了处理教育学院合并到大学过程中的《公共服务统筹协商理事会人事管理框架》，提出了对教育学院教职工的三种处理办法：由省教育厅在本省内重新安排就业；根据双边协议买断；到高等教育机构从事特殊岗位。①大约同时，教育部在2000年底发布了《教育学院作为大学或理工学院附属机构的教育部长声明》。②教育部成立了一个独立的组织——联合教育信托组织，其主要职责在于，根据人员雇用条件以及学生、项目、财务、设备与资产等数据，来促进合并协议的达成。合并的过程如此迅速，以致教育部长在全国高等教育计划中大胆宣称，教育学院将会全部被合理地并入高等教育，2001年1月开始生效。③

独立教育学院并入大学主要有三种类型：一是远程教师教育机构间的整合，这以南非教师教育学院并入南非大学教育学院为代表；二是实力较强的独立教育学院并入相对稍弱的大学，这以约翰内斯堡教育学院并入金山大学教育系为代表；三是农村黑人教师教育机构的地区性整合，这以吉雅尼教育学院并入文达大学教育系为代表。④

最终，约120所教育学院只有25所合并入高校，其余的被关闭，成为继

① V. Soobrayan. Do legal frameworks direct merger outcomes? A study of the legal origins and consequences of recent higher education mergers[J]. Sajhe/Satho，2003，17（2）.

② M. T. C. Sehoole. The politics of mergers in higher education in South Africa[J]. Higher Education，2005，50：159–179.

③ Jansen，J. D. Changes and continuities in South Africa's higher education system，1994 to 2004. In Changing class：Education and social change in postapartheid South Africa[R]，Ed. L. Chisholm，Cape Town：HSRC Press，2004：293–314.

④ 王林璞．南非高校合并问题研究[D]．浙江师范大学，2008：39–40.

续与训练学院或其他教育机构的校园。2000年后，南非政府实施了高校合并政策，32所大学被合并后只剩下23所，这些大学多从事师资培训。2003年初，在教育部“胡萝卜加大棒”的策略下，教育学院全部消失，要么关闭，要么并入大学或理工学院。

3. 教育学院寻求自治与选择合并对象的努力

一些教育学院在被合并之前，并没有放弃自治的努力。教育学院在选择自治失败后，开始选择合并对象。在合并的过程中，教育学院希望与办学质量更好的大学进行合并，并力争确保在大学中获得相对独立的地位，保护自身的教师教育特色，但这些尝试无一成功。这也体现在以下三所教育学院的合并之中。

1997年《高等教育法》颁布之后，南非教育学院已经意识到它可能被合并到大学。于是，院长向教育厅提交了教育学院自治的申请。1999年10月，教育厅通知该学院理事会主席，教育学院不能再寻求自治的道路。教育厅也没有告知理由。院长也反对政府的合并政策，并威胁对政府采取法律行动。但政府一直坚持自己的立场，并确保合并得到实施。

以吉雅尼教育学院的合并案例为例，该学院的管理者和教师都希望能将学院升格为一所独立的高等教育机构。该教育学院的办学条件和质量，比南非其他大多数的教育学院都要好。但在1999年1月，教育学院认识到教育厅既没有意愿，也没有能力将它升格为独立的高等教育机构。执政党非国大打算将所有的教育学院并入大学。北方省（现改为林波波省）教育厅在1994—1999年已经将该省28所教育学院削减至5所，剩下的5所也将合并到大学。因而，它不可能让一所人数为395人的吉雅尼教育学院维持自治的状况。教育学院主动地寻找其他的学院，以在高等教育机构里面形成一个单一的、多校区的联合体。其设想，这个联合体的办学质量比本省其他两所大学更好地满足教师教育的需求。省教育厅拒绝了这一与其他教育学院构成联合体的建议。1999年9月14日，北方省政府在5所教育学院院长的会议上宣布，剩余的5所教育学院将全部并入2所本地的大学，完全拒绝了教育学院自治的可能性，也忽视了创建单一的多用途校园的可能性。因此，合并完全遵照教育部和省教育厅的路线，完全没有考虑教育学院追求未来的权利。

在与金山大学的合并过程中，约翰内斯堡教育学院一开始也想寻求自治，但也未取得成功。教育部领导人劝说其放弃了自治的打算。院长曾说他花了6个月探求自治的可能性，但教育部要求其并入金山大学。[①]

约翰内斯堡教育学院与金山大学之间的谈判异常艰难，其原因在于教育学院管理层力图争取更多利益。这包括教育学院希望能在合并后，作为一个独立的实体，专职从事教师教育。但金山大学拒绝这一建议。这导致谈判几乎破裂。在教职工的要求下，理事会要求学院的领导层寻求与其他大学合并的机会，如金山理工学院，以及附近的兰德阿非利卡大学。但在教育部的干涉下，教育学院又重新回到谈判桌前。约翰内斯堡教育学院最终被并入金山大学。

二、专业化治理

（一）制定各种专业标准

1.制定教育实践的标准

教师的实践能力主要通过职前和职后培养。在职前培养阶段，规范实习要求。明确规定实习的标准，包括实习流程、实习评价标准等。高等教育与培训部、省级教育行政部门共同遴选实习和见习学校，将实习学校纳入职前培养，并设有实习指导教师。南非的教学实践可分为大学实践和中小学实践。对大学实践指导教师规定了明确的标准，中小学指导教师也需要有丰富的教学经验。

教师教学实践的内容标准，包括实习地点和内容标准。其中教育学士学位实习学分为120分。实习分为两个阶段，前三年的实习由大学负责组织，由导师负责指导学生的学习和生活。后一年在中小学实践，由大学的导师与中小学教师联合指导，他们定期会晤交流师范生的实习情况。这种方式促进了中小学与大学之间的合作。如祖鲁兰大学教育学院，2009年教育学士学位语言教育专业课程的教学实践为：第一年主要在大学实习，实习内容包括

① M. T. C. Sehoole. The politics of mergers in higher education in South Africa[J]. Higher Education, 2005, 50: 159-179.

微格教学和少量的教学法训练，有时也会到实验学校实地观察。后三年以在中小学实习为主，包括教学观摩、教学实践、教学管理、教学评价等。其中最后一年的实习时间几乎全部在中小学进行，实习生以在职教师身份全面介入中小学的各个教育教学环节。第一年和第二年的实习时间一般为6周（记6学分），第三年和第四年的教学实践部分必须达到12学分。此外，在四年中，所有师范生还需参加从16点到18点，由学院组织的非正式小组辅导实习。①研究生学历的教育证书需要实习10—12周，研究生需要有在至少两所中小学的全职实习经历。

2. 制定教师实践能力标准

南非教师需要扮演七种角色，每一种角色都有相应的能力要求，包括实践能力、基础能力和反思性能力。如对学习协调者角色中实践能力的要求为：实践能力是指学习者在一种真实的环境中，考虑行为的可能性，并做出下一步决策以及实施行动的能力。具体包括：其一，能用合适的教学语言解释、描述和讨论特殊的学习领域、科目、学科、阶段中的重点概念；其二，能用第二官方语言解释、描述和讨论对话形式中出现的重点概念；其三，使用合适的策略满足学习者需要，包括为残疾学生提供合适的手势语；其四，为精心准备教学而搜集各种资源，相关学习领域的知识、技能和方法，学习者现有的知识、技能与经验；其五，运用重要的教学策略，比如，高水平质问，基于学习任务和计划的提问，小组合作学习，课堂教学和自学；其六，调整教学策略以与学习者发展阶段相匹配，满足特殊学习领域的知识要求，适应文化、性别、种族、语言以及学习者之间的其他差异；其七，调整教学策略以满足不同学习形式和喜好，以及解决大多数学生所遇到的学习障碍；其八，为学生创造学习环境，培养学生的纪律感，通过辩论和讨论的形式解决学习难题。以促进学生成绩的提升和发展；其九，营造有利于鼓励学生进行批判性和创造性思维的学习环境，以及解决学生在语言、民族、性别、种族、地理和文化上所遇到的挑战；其十,在教学中尽可能地运用现代媒体和使用各种资源，其中传统的教学资源有教科书、黑板、粉笔，

① 田腾飞．社会变革背景下南非的教师教育研究[D]．重庆：西南大学，2011：61.

现代媒体有投影仪、计算机、摄像机，还有报纸和杂志以及其他来自日常生活中的各种资源。①

3. 制定教育实践机构标准和指导教师标准

南非选择优质的学校和优秀教师来作为师范生的实习指导，为此制定了相应的标准。大学的实习标准以获得教师教育与培训资格为准，中小学的实习机构由省级教育行政部门认定。省级教育行政部门将会对中小学实习机构进行核查，核查合格后将与之签订相应的协议。

对大学的指导教师也有一定的要求，必须是大学的学科教师和教学法教师。他们被派到中小学去检查师范生的实习，对其实习情况进行指导，教他们用各种策略去改进教学。中小学的实习指导教师必须是优秀的教师，愿意指导，且有时间指导，在指导过程中承担指导者、支持者、教练员、评论者等角色。

（二）建立教师专业共同体

教师专业学习共同体作为一种组织形式，将为一线教师、学校管理者、课程顾问等群体共同参与决定其自身专业发展方向提供必要的支持，并设计和开展相关活动来推动共同体内各成员的专业发展。基础教育部对教师专业学习共同体做出了规定：在建立该共同体过程中，省级、学区教育行政部门、教师组织、基于学科的教师专业协会以及教师自己都扮演着重要的角色；在该共同体建设发起阶段，需要训练有素的主持人（该主持人可以由学科顾问或者高水平的指导教师担任）投入较多的时间和精力；该共同体应协助教师个人通过诊断性自我评估发现存在的问题，并为教师提供共同体内部的专家辅导，帮助教师解决这些问题；该共同体将帮助教师在已有专业知识基础上整合最新的、基于研究的教育学内容和实践知识；该共同体将组织教师开展各种专业发展活动，包括共同开发关于学生成绩分析的知识技能、开展基于课程的研讨活动、学习如何解释和运用教材、学习教学录像和其他学习资源等；国家课程和专业发展研究所通过设计各种活动和材料为教师专业学习共同体提供支持；学区教师发展中心可为当地的教师专业

① 田腾飞．社会变革背景下南非的教师教育研究[D]．重庆：西南大学，2011：58-59.

学习共同体提供会议场所。①

三、强化保障

（一）成立质量保障机构，加强对师资质量的监管

在新南非政府成立以前，南非的教师教育体系条块分割，缺乏统一的质量体系标准。为改变这种教师教育质量监管混乱的局面，1995年，南非政府颁布了《教师教育规范和标准》，要求所有的师资培训机构根据该政策来对教师教育项目进行调整，以使其标准满足该政策所提出的要求。南非成立了高等教育委员会、行业教育培训局等教师教育质量保障机构，负责教师教育机构的审查、教师资格认证，以促进教师的专业发展，提升教师的专业能力。同时，由代表教师利益的南非教育工作者理事会和教师工会对教育部提供咨询建议。

1995年，南非大学副校长联合会质量促进处负责制定南非高等教育质量保障制度，帮助南非各大学以自我评鉴的方式建立内部质量保障机制，实行以质量提升为目标的外部审核制度，并开发以认证为方向的项目审查制度。②

1997年颁布的《高等教育法》将教师教育纳入公立高等教育的范围。同年颁布的《高等教育改革计划》白皮书提出建立具有项目认证、院校审核和质量促进职能的高等教育质量管理部门——高等教育质量委员会。2001年，高等教育质量委员会正式成立后，成为了质量保障的执行机构，而教师专业团体则负责向教育部提供咨询。

根据1998年的《技能发展法案》，高等教育质量委员会设立了南非教育与培训质量保障局，③颁布了《教育与培训质量保障规则》，为教育与培训机构提供认证。

---

① 熊健杰．后种族隔离时期南非教师教育政策研究[D]．重庆：西南大学，2013：44.

② 顾建新，牛长松，王琳璞．南非高等教育研究[M]．北京：中国社会科学出版社，2010：282.

③ MICT SETA. Information on Education and Training Quality Assurance（ETQA）[EB/OL]. http://www. mict. org. za/downloads/publications/Education_and_training_repro. pdf.

（二）强化对教师教育质量的认证

1. 制定了教师资格的认证标准

在新南非成立以前，由于各种族教师管理体系不一样，其任职标准也有较大差别。在获得教育资格证书后，经过一段时间的培训，可以获得教师资格。而不少农村教师没有经过教师培训，就直接任教。对教师的标准要求不一致，也导致教师质量的良莠不齐。而且教学资格和学术资格并行，使得教师教育质量缺乏统一的标准。在1996年以前，获得南非教师资格要求具有高级证书与1—3年的教师培训，由修业年限不同，分为3种不同的资格证书。1998年，南非政府颁布了《国家资格框架法案》，法案规定教师资格不再以修业年限作为依据，而要以相对教育资格价值作为教师资格的认证标准。所谓相对教育资格价值就是建立在国家资格框架水平之上的120个南非资格框架学分的倍数。教育资格相对值（10+n）=（n×120）南非资格局credits，n=1,2,……7；教育资格相对值14=教育资格相对值（10+4）=(4×120)=480南非资格局credits，这相当于四年的全日制学习。所以，高等证书+0年教师培训=教育资格相对值10=0南非资格局credits，……高级证书+3年教师培训=教育资格相对值13=360南非资格局credits。教师能否在南非教育者委员会获得注册、是否被认为合格或不合格、教师工资水平高低以及教师能否胜任某一特定职位，都是以教育资格相对值为基础的。[①]按照这种计算方法，1996年之前的教师资格分类与教育资格相对值之间的大致关系为：（1）高级证书+0年教师培训=教育资格相对值10=0个南非资格局credits；（2）高级证书+1年教师培训=教育资格相对值11=120个南非资格局credits；（3）高级证书+2教师培训=教育资格相对值12=240个南非资格局credits；（4）高级证书+3年教师培训=教育资格相对值13=360个南非资格局credits；（5）高级证书+4年教师培训=教育资格相对值14=480个南非资格局credits。[②]根据《国家资格框架》，决定了教师的任职资格（见表6-2）。

---

① 王竹青．南非教师教育政策研究[D]．济南：山东师范大学，2013：25.

② 田腾飞，陈时见．南非教师资格的类型及其认证探析[J]．全球教育展望，2011（3）：66-70.

表 6-2　教育资格框架①

	NQF 水平	最低学分	资格类型	建议教师资格
研究生	10	360	博士学位	教育学博士或者哲学博士
	9	180	硕士学位	教育学硕士
	8	120 120	荣誉学位 研究生文凭	教育学荣誉学士 教育学研究生文凭
本科生	7	360/480 120	学士学位 高级文凭	教育学学士学位 教育学高级文凭
	6	360 120	文凭 高级证书	国家教育专业文凭
	5	120	高等证书	教育高等证书

2007年，《高等教育资格框架》颁布后，为了保持标准的一致性，同时促进教师教育的发展，根据2008年的《国家资格框架》，2010年11月，南非教育部制定了《高等教育资格框架——教师教育资格框架最低标准（草案）》。它旨在取代2000年2月颁布的《教育者规则和标准》，为不同层面的教师制定了新的统一标准，指出了南非教师教育的改进方向。它从高等教育资格框架中选择适当的资格类型以服务于不同目的的教师教育；为每种资格类型，选择不同的国家框架；为所有的学位界定相应的指标；为所有资格类型确认一系列的合格标准；为教师资格内容描述适当的组合知识；为根据知识组合和资格水平开设的，以获得教师资格为目的的学习项目，设定最低和最高的学分；为教师职前教育项目规定最低的能力标准。②

2013年8月，南非高等教育与培训部对《南非高等教育资格框架》进行

① 王竹青．南非教师教育政策研究[D]．济南：山东师范大学，2013：24.

② Department of Higher Education and Training （DHET）. Draft Policy on the Minimum Requirements for Teacher Education Qualifications selected from the Higher Education Qualifications Framework（HEQF）. Pretoria：DHET. 2010. [EB/OL]. http://www. dhet. gov. za/Reports%20Doc%20Library/Draft%20Policy%20on%20minimum%20requirements%20for%20Qualifications%20in%20Education. pdf.

了修改，颁布了《高等教育资格子框架》。为配合《南非高等教育框架》的修改，2014年，南非高等教育与培训部对《高等教育资格框架——教师教育最低标准》进行了修订。2015年2月19日以政府公报的形式发表。修订主要涉及以下内容：其一，废除了资格框架中对资格水平的最高和最低学分限制；其二，考虑到了一些研究生资格水平的可供发展的选择要求；其三，使提供专业的硕士和博士学位变得可行；其四，考虑提供教育学研究生证书，以替代包括第一学历或国家证书的教育高级证书的头衔。[①]该教师教育的资格框架严格规定了每一种证书的标准，对学段和科目都作出了严格的修业年限和学历的规定，规定了资格框架对应的等级，以及学分的最低要求。

《教师教育资格最低要求》提出了对教师角色和最低能力的要求。它规定了教师应扮演的七种角色：某一学科或实践方面的专家、调解者、解释者与设计者、领导与管理者、学者与研究者、评价者、公民与牧师。

《教师教育资格最低要求》对新教师的最低能力提出了具体要求：其一，具备良好的学科知识；其二，具备一定的教学技能；其三，了解学习者；其四，拥有较强的语言表达能力与沟通能力；其五，拥有读写、计算、信息技术能力；其六，具备广博的文化知识；其七，具备包容性，理解不同地区的差异性；其八，具备班级管理能力；其九，建立起与学习者间的信任关系，能够通过教学评价与反馈促进学生学习；其十，具备良好的职业道德与价值观；其十一，具备批判性思维，能够及时进行教学反思。

2. 提出了具体的课程建设要求

为了保证高等教育体系中教师教育的质量，《教师教育资格最低要求》提供了3项核心课程建设：初级教师教育、教师继续专业发展、R级教师。

（1）初级教师教育

初级教师教育可以证明教师在某一阶段或某一学科领域内已经接受了专

① Department of Higher Education and Training（DHET）. National Qualifications Framework Act（67/2008）：Revised policy on the minimum requirements for Teacher Education Qualifications. Pretoria：DHET. 2015[EB/OL]. http://www. dhet. gov. za/Teacher%20Education/National%20Qualifications%20Framework%20Act%2067_2008%20Revised%20Policy%20for%20Teacher%20Education%20Quilifications. pdf.

业训练，成为一名新教师。一般来说，要求教师达到《高等教育资格框架》七级水平。学生在达到最低能力要求的同时，必须积极参加初级教师教育课程训练，达到初级教师资格——获得教育学学士学位、高级教学文凭。高级教学文凭是指拥有本科学士学位或高等教育培训部批准的证明。

2015年的修订案要求教师必须具有教育学士学位和修完教育学硕士课程。为达到初级教师教育资格，学生必须学习相关课程。要获得教育学学士学位，学生必须至少修得480个学分；教育学硕士课程要求学生修得120个学分。此修订案明确学习的重点并不在于深入研究某一学科，而在于将理论全面用于专业实践，进一步达到专业化程度。

除学历要求外，《教师教育资格最低要求》对学生知识结构作出了一定要求。在教育学学士学位课程学习中，50%的学分必须用于教师专业学科的发展，主要包括学科教学法和实践技能；至少40%的学分用于基本教育知识、教学法、情境性学习；学生可以自行分配10%的学分，根据自身实际需要进行安排。《教师教育资格最低要求》要求学生能够工学结合，包括对教学实践的监督和评价。在4年的学习期间，学生应花费20—32周的时间用于工学结合。在教育学硕士课程中，32个学分用于教育基础学习、48个学分用于教学法学习、32个学分用于实践性学习、8个学分用于情境性学习。

（2）教师继续专业发展

随着教师经验的丰富，其角色和能力不断得到扩充。在初级教师教育课程结束后，教师可以通过教师继续专业发展课程进一步促进其专业发展。课程旨在增强教师专业性，丰富教师角色，发展专长和兴趣，提高合作能力，促进教师与学生、家长、社区等方面的互动。课程包括专业学习和实践学习两个方面。通过学习课程，教师可以逐步获得相应文凭——高级证书、高级文凭、研究生文凭、教育学荣誉学士学位、教育学硕士或专业硕士学位、教育学博士或专业博士学位。这6个阶段的设置旨在引导教师逐步实现其专业化进程。针对不同阶段，《教师教育资格最低要求》对其申请要求与课程设置作了明确规定。

（3）R级教师

R级教学资格要求教师具有R级教学文凭、基础阶段教学文凭。R级教学文凭是对R级教师的最低要求，旨在促进掌握了基础教学知识和技能的教师的发展。申请者拥有高级证书、四级国家证书、早期儿童发展四级证书，即可申请R级教学文凭。对于相关课程设置，《教师教育资格最低要求》作了如下规定：至少50%的学分用于R级学科性基础知识、教学法和实践的学习；40%学分用于教育基础、教学法、情境性学习；学生可以自行分配10%的学分，根据自身实际需要进行安排。2015年的修订案声明：持有R级教学文凭的教师可以申请教育学学士学位，并完成相应课程。

《南非教师教育和发展国家政策框架》对师范生的教育实践作了严格的规定，本科生要求实习一年，并获得120个学分，研究生必须参加10—12周的教育实践，并且有至少两所学校的实习经历。实习主要有两种形式，一种是以在大学内的实践活动为主，在导师指导下进行；一种是到中小学实习。同时对大学指导教师和中小学任课指导教师，都提出了明确的任职要求与任务安排。如中小学指导教师必须经验丰富、愿意参与实习指导，扮演示范者、评价者的角色。大学教师必须对实习生的实习情况进行书面或口头上的表扬和批评。教育学学士的修业比较灵活，可以采取全日制和在职培训，远程教育与面授相结合的方式。

3. 规范教师资格的认证程序

2000年，南非共和国议会颁布了《南非教育工作者法案》，旨在为教师提供注册、促进教师专业发展、制定并维持教师职业标准。[①]该法案规定：在正式委任之前，教师必须向南非教育工作者理事会申请注册，否则不得从事教育工作。其具体流程如下：

（1）提交注册申请

申请者需要向委员会提交申请表格。申请必须附有教师资格证明、身份证明文件和所需的注册费。南非籍教师注册费为200兰特，外籍教师注册费为400兰特。另外，申请者还必须向委员会报告以下事项：是否受到纪律处

① South African Council for Educators Act［No. 31 of 2000］［EB/OL］. https://www. westerncape. gov. za/assets/departments/south–african–council–for–educators–act. pdf.

分或有否刑事罪行、是否存有尚未解决的处分程序或刑事诉讼及其先前承受的处分程序。

（2）初步讨论注册申请

教育工作者理事会收到申请后，其下属的注册委员会对其进行核实并提出相关建议。在此期间，注册委员会可以要求申请者提供更多信息、进行必要的调查和谈话。

（3）做出认证决定

注册委员会提交推荐建议后，教育委员会对其做出最终决议。申请通过后，委员会将申请者登记在册，并向其颁发注册证书或临时注册证明。该证书若有损坏、遗失，申请者可以向委员会申请补办。①

4. 制定教师教育的培训标准，规范对教师继续教育的认证

2000年，南非政府成立了行业教育培训局，为种族隔离时期那些未达到合格标准的教师，提供继续教育的机会。

2007年，《南非教师教育和发展国家政策框架》第一次提出了“教师继续专业发展”的要求，对教师的继续教育与专业发展指明了方向。

《国家资格框架法案：教师教育最低资格政策（修订）》为每种教师资格都严格规定了标准，为教师获得高一级的证书认证，进行教育提供指导。对初级、中级、高级教师资格证书的最低标准都作出了严格的规定。现以教师的高级资格证书为例来加以说明。②通常来讲，高级资格证书主要是职业导向的。这一资格为学生提供教授某一特定科目或阶段所需的良好基础知识，以及他们能够把知识和技能运用在课堂教学之中的能力，使他们能够进行更加专业化和集中化的学习。高级证书课程通常包括模拟工作经验或教学实践课程部分。高级资格证书也可以为职业合格教师出任某些新的角色提供

① The SACE Council. Registration Criteria and Procedures[EB/OL]. https://www. sace. org. za/pages/registration-criteria-and-procedures.

② Department of Higher Education and Training （DHET）[EB/OL]. National Qualifications Framework Act （67/2008）: Revised policy on the minimum requirements for Teacher Education Qualifications. Pretoria：DHET，2015：35. http://www. dhet. gov. za/Teacher%20Education/National%20Qualifications%20Framework%20Act%2067_2008%20Revised%20Policy%20for%20Teacher%20Education%20Qualifications. pdf.

资格，如学校管理者和领导者，或者是教授有特殊教育需求的学习者，提供一种入门资格。

在教学和学习之中，高级资格证书被用来解决三类教师的需求：

一是教师想要专门研究一门新的教学科目，这门科目不在教师之前的专业教学资格中。

二是基础阶段（FP）和中等阶段（IP）教师。他们先前拥有职业教学资格，但没有专攻这个阶段；他们通过教授FP和IP获得适当的背景知识，并希望通过获得某一阶段的正式资格来加强他们的知识和技能。

三是希望在某一科目或者某一阶段加强专业化的教师。这些教师已经在初期3年的教育学习后获得文凭，这些文凭由之前的教育学院提供，或者是国家资格框架中的五级国家教育文凭。

教师可提供专业教育学学士学位或教育学研究生证书（或者高等教育文凭研究生证书），以此获得高级资格证书。拥有3年教育文凭、教师文凭或已完成国家教育文凭的教师，也可以获得高级证书。

同时，也规定了授予高级资格证书所需的综合知识，必须注重学段和教学科目专业化。获得高级证书的一般要求：最多可分配16学分用于教育及其基础研究，以及一般教学学习和情境学习的研究。要求在专业学科、教学法学习和实践学习方面至少分配96学分。至少有8学分被分配给教学实践课程。基本学习学分不是必要条件，但所有教师都应具备信息技术能力。参与这个项目但不具备信息技术能力的教师应该在第5级额外获得12学分，以发展这种能力。

所有教授毕业生的高级资格证书项目的教师必须能够了解全纳教育，熟练识别和解决学习障碍，以及在课程差异化方面，满足一个年级内个别学习者的需求。[①]

---

① Department of Higher Education and Training （DHET）. National Qualifications Framework Act （67/2008）：Revised policy on the minimum requirements for Teacher Education Qualifications. Pretoria：DHET，2015，39.［EB/OL］. http://www. dhet. gov. za/Teacher%20Education/National%20Qualifications%20Framework%20Act%2067_2008%20Revised%20Policy%20for%20Teacher%20Education%20Qualifications. pdf.

近年来，南非在薄弱学校、薄弱学科的师资培养中，引入了高级教育证书项目。夸祖鲁-纳塔尔省最近实施了一项高级教育证书项目，以解决该地区合格数学教师的短缺问题。该项目为训练教师提供了另一种方式，尤其是为那些打算为历史上处于不利地位的社区提供服务的教师，使其获得十至十二年级数学教学的最低资格。该项目为了帮助目前正在教授数学课程，但不具备该资格的教师，获得教授数学的最低资格。高级教育证书项目为多个开放式学习中心提供灵活的服务，可以覆盖一些最偏远的农村和弱势群体。[①]

南非教育部门建立了南非教师的质量保障体系，提高了教师的质量标准，反映了新时代对不同类别教师的要求。

第三节　成效与不足

新南非政府成立以来，大刀阔斧地对教育进行了改革。为了跟上世界各国教师教育发展的步伐，南非政府教师教育改革的力度较大，先后出台了一系列的教师教育政策。其教师教育政策也取得了一定的成效，如建立了统一公平的职前职后一体的教师管理体制，成立了教师质量保障管理体系。当然，南非的教师教育治理也存在着诸多问题，如教育学院合并过程过快，导致教师数量短缺的问题并未完全解决。政府对教师能力和素养要求过高，造成教师压力过大。教师教育的管理过于强调统一性，忽视了地区差异。教育政策的制定也应该考虑到具体实践的多样性，保持一定的灵活性。

一、治理成效

（一）建立了统一的职前职后一体化教师管理体制

在1994年以前，南非中小学师资培养是条块分割的，不同种族的中小

① Vimolan Mudaly，Deborah Moore-Russo. South African teachers' conceptualisations of gradient：A study of historically disadvantaged teachers in an Advanced Certificate in Education programme[J]. The Association for Mathematics Education of South Africa. 2011（1）：1-8.

学师资分别由不同的教育学院来进行培养。1994年新南非成立后，为了消除种族隔离，促进教育平等，针对师范教育管理条块分割等问题，政府建立了统一的师资管理体制，逐步将原来分属各省教育厅管辖的教育学院合并到大学，由教育部来统一管理，使中小学师资培养由地方上升到国家。南非政府从国家层面颁布了一系列的教师教育政策，建立了统一的教师管理制度。政府规定了初任教师的任职资格，教师教育不再属于省级事务，而是国家事务。

2000年2月，南非教育部颁布了《教育者规范和标准》，规定了教师的七种角色，统一了教师的要求标准。南非教师的七种角色虽然不是教师在进行资格证书申请时的必备条件，但为教师的专业发展指明了方向。

南非政府重视中小学教师的职后培训，促进教师专业发展。将2000年教育部发布的《教育者规范和标准》与《教育就业资格认可与评价标准》，作为教师培训所应达到的目标。基础教育部专门设立了国家课程与专业发展所来规范职后教育。各省完善省级教师发展中心，并建立了学区教师发展中心，负责教师在职培训。

2007年，南非政府开发了新的教师继续专业发展系统，提供了诸多专业发展项目。该系统为所有关心教师专业发展项目的机构和组织提供了一个良好的平台，教师组织、非政府组织、教师工会、社区和宗教组织都能在平台上为教师提供项目，为教师创造了良好的专业发展机会。教师可以通过参加这些项目来获得自己的继续教育学分。

（二）建立了开放性和融合性相统一的教师培训体系

经过南非高校合并后，南非的教师培养主要集中在大学。大学教育学院吸收各个学院的学生来加入未来的师资队伍。南非也通过远程教育来吸纳国外的学生参加教师教育。学校和国外相关机构合作，进行国际化的实践教学。师范生可以利用国内外的优质资源，这使南非的教师教育获得了一个较高的起点。南非学士学位培养的师范生，主要针对初中及以下学段培养师资。本科生培养采取学科课程和教育课程相融合的培养体系。研究生教育则为高中及以上学段学校培养师资。此外，南非高校设立了各种实践学校，重视对师范生的实践教学。

南非政府颁布了国家资格框架，通过它来规范或统一各类师资培训机构培训教师的资格，并建立了相应的教师管理机构，来协调各方利益。首先在国家层面建立了由各方代表组成的国家教师与发展委员会，各省建立了省教师教育委员会，并调动各级师资培训机构的积极性。关注教师教育培养中热点问题的解决，定向为农村学校、薄弱学校或薄弱学科培养师资。

（三）成立了教师质量保障管理体系

南非政府构建了一整套教师质量管理体系。在南非教育部下成立了南非教育工作者理事会和部门教育与培训局。通过制定教师注册的最低标准和继续教育标准，统一了南非教师行业标准，促进了教师质量的提升。南非还通过南非资格局、国家资格框架和高等教育质量委员会对高校教师教育项目提出统一的质量要求。教育劳动关系理事会发布了《发展性评价指南》，对教师进行质量评估。教育工作者理事会制定了《行为准则》，引导教师专业伦理建设。这使南非的教师教育项目有了统一的质量标准。

南非政府成立了各种教师质量保障机构。如高等教育质量委员会，通过对教师教育机构进行审核、项目认证、国家评估等方式，来实现国家对教师教育的统一要求。它与教育行业专家、教师工会以及其他各级教育行政部门进行协商，制定国际评估标准，包括对教育学学士、高级教育证书、教育学硕士、教育学博士等项目资格学位的最低审核标准。负责师资培训的高校也成立了相应的质量保障机构和保障政策，如比勒陀利亚大学设立了质量处。教师教育机构先根据高等教育质量委员会提供的标准，结合自身的办学条件进行自我评估，然后向高等教育质量委员会提交评估申请。在收到申请后，高等教育质量委员会组织专家进行评估，然后在网站上公布评估结果。对于不能达到标准的教师教育机构，高等教育质量委员会将会收回认证决定。通过这种国家评估，南非政府建立了统一的质量体系。高等教育质量委员会也会对教育机构的教师教育课程进行类似程序的评估。《南非资格认定法案》也规定了高校所有开设的新课程必须在国家资格框架内注册，才能获得国家承认，这样高等教育质量委员会通过课程评估，确定了教师教育课程的质量标准。

最后，南非政府还通过教师资格证书认证、教育机构审查等相关质量保障制度，来规范南非教师教育培训的规格和标准。

二、存在的问题

（一）教育学院合并过程过快导致的问题

在合并过程中，教育部并未考虑到教育学院的利益，这必然对师资培训带来消极影响。合并往往出于政治动机，而非提升教育质量。合并过程并不像想象的那么完美。①合并的过程较为仓促，并没有提前计划好，或按计划实施，这导致师生感到不安和恐惧。

以南非教育学院与南非大学的合并为例，由于豪登省教育厅与南非教育学院关系不佳，在合并过程中教师和学生饱受折磨。南非教育学院院长反对合并，因而被排除在合并过程之外，这使得在合并过程中，教育学院的利益无法获得保护。1999年4月，南非教育学院任务小组成立，以调查学院的合并事项。合并的程序并不透明。为避免对抗，教育厅有一个未公开的日程表，而合并实际上并未按照日程表来进行。教育厅规定在2001年5月7日向教育学院教职工发放双方同意的离职补偿金。事实上，教职工在2001年2月28日就得到通知，限24小时内决定是否领取离职补偿金。主要原因在于，政府不希望离职补偿金占用2001年度资金。有人则认为教育厅有意刁难南非教育学院，因为它曾是一所拥有特权的白人教育机构。有人则认为，教育厅不喜欢学院院长华莱士，所以也不喜欢教育学院。在3月31日之后，教育学院不再属于教育厅的管辖范围。有人则认为教育厅的目的在于使更多的人离职，以减少其安排工作的职责。②

合并使教育学院教师失去了自我认同感，对教师的职业生涯发展造成了消极影响。职业生涯的突然中止或突然转向，对于教职工来说都是巨大的创伤。以往教育学院教师将自己视为教学人员，而高校则要求其将自己视为

---

① M. X. Mfusi. The effects of higher education mergers on the resultant curricula of the combined institutions[J]. SAJHE. Pretoria：UNISA Press，2004，18（1）：98-110.

② V. Soobrayan. Transformation or travesty? A study of the micropolitics of educational change in the case of the incorporation of a college of education into a university[D]. Pretoria：University of Pretoria，2003：120-131.

研究者。这导致教师对自己的能力和形象产生了怀疑。大学对科学研究任务的要求，使教师感到专业能力不足，进而影响到专业自信。有研究者在调查教师时发现，随着时间的流逝，只有少数教师对大学提供的新机遇、新身份表示满意，但总体而言，合并使教师对自身身份认同产生了焦虑。有教师谈道："我的个人形象被破坏了，我感觉我不再足够优秀。"①原教育学院的教师，在大学里面成为拿着最低工资的边缘群体，缺少了工作的积极性。

合并过程并不公开透明，没有反映教师群体的利益。人们需要参与合并的过程。教师感觉失去自我价值或自信，与缺乏应对机制与合并进程的普遍管理不善相关，以致于教师在变革过程中经历了不必要的精神上痛苦的煎熬与创伤。②如在豪登省比勒陀利亚教育学院与比勒陀利亚大学的合并过程中③，管理者没有反映教师的利益，教师对合并信息一无所知，而流言却满天飞。不少教师的家庭成员反映，在合并过程中，由于对未来职业的不确定，教师背负着沉重的精神压力，充满了不安全感、沮丧、易怒、烦躁不安、情绪不稳定、缺少耐心等不良情绪。④有研究者认为，合并使一些教师经历了拒绝相信、愤怒、讨价还价、抑郁、接受等五个阶段心理状态。⑤其结果令大多数教师不满意。

合并带来教师供求的反向失衡，重视实践的"专业性"传统式微，合并后的深入融合遭遇困境。由于师范生毕业人数逐年下降，导致中小学教师数量减少。一些白人教师由于对政府的不信任，移民到澳大利亚和英国等英语国家。政府为改进农村教育，推行小班化教学，这对教师数量的需求增加。改革后毕业生总数基本维持在6 000人左右，但南非每年的新教师需求量在

①④ L. R. Becker, etc. The impact of university incorporation on college lecturers[J]. Higher Education, 2004, 48 (2): 153-172.

②⑤ C. N. Van der Westhuizen. The games institutions play-or the impact of university incorporation on the attitudes, beliefs and perceptions of college lecturers[J]. Sajhe, 2004, 18 (1), UNISA Press, 153-164.

③ 1998年7月27日，该校执行委员会通过决议，同意并入比勒陀利亚大学。2001年1月1日从法律上正式并入比勒陀利亚大学。在2000年开始招收新生，教师于2002年1月成为比勒陀利亚大学的正式职工，2001年10月，该校校址成为比勒陀利亚的一个校区。

12 000—16 000名之间。[①]由于教师待遇低，而其他职业向黑人敞开，导致教师流失严重，每年教师的流失率在5%左右。[②]改革后教师教育课程的特色没有保留，综合性大学专注于学术，对教育实践课程并不感兴趣，大学的强势使得教育学院重视教学实践的课程被取消。

随着农村教师的短缺，人们对南非基础阶段教师必须具备大学本科学历的做法提出质疑。2007年12月，在非国大年度会议上，重开教育学院的建议被提出来。此后，南非社会各界对重开教育学院的呼声一直不断。教育部在2008年和2009年先后发表声明，准备重开教育学院，以培养更多的小学教师、农村教师，以及语言和数学教师。建议在每个省设立专门机构、独立的教育学院、教育机构来满足这三方面的需求。2013年初，在高等教育与培训部部长布莱德·恩齐曼迪（Blade Nzimade）的倡导下，普马兰加省锡亚布斯瓦市的恩德贝勒教育学院重新开设。2014年，三所教育学院在夸祖鲁-纳塔尔省、林波波省以及东开普省分别开设，以培养基础阶段的教师，尤其是数学和地方语言教师。

尽管如此，南非中小学教师数量不足的问题，短期内仍难以得到解决。2013年，南非中小学生人数大约为1 240万人，预计到2023年将会上升到1 340万人；教师42.6万人，到2023年，将需要教师45.6万人，10年中，缺口3万人。[③]

（二）相关规范和标准对教师要求过高带来的问题

首先，《教育工作者规范和标准》对教师提出了过高的期望，对种族制度所遗留下来的教师能力和不平等状况没有充分的认识，提出的教师角色过于理想化，缺乏现实基础。[④]在种族隔离废除前，不少南非黑人教育学院培

---

① 徐今雅，甘杰．教师教育机构改革：动因、路径及成效[J]. 比较教育研究，2013（11）：38-43.

② 姚巍，章苏静，肖飞生．南非教师质量问题及归因分析[J]. 外国教育研究，2011（10）：85-90.

③ Teachers in SA：Supply and demand-CDE[EB/OL]. http://politicsweb. co. za/news-and-analysis/teachers-in-sa-supply-and-demand-cde.

④ 顾建新，牛长松．南非教师教育政策的变革及其启示[J]. 比较教育研究，2008（6）：25-29.

养的教师很难达到要求，这给教师带来了很大的心理压力。

其次，课程改革缺乏一线教师的参与，并增加了教师的工作负担。在《2005课程》中，对教师的工作提出了诸多要求，要求教师对学生采用新的评价方式，包括基准评价、诊断评价、形成性评价、总结性评价、系统性评价等。但对教师的系统性支持不足。教师为实施新课程只接受了短期培训，后续支持不足，课程缺乏指导，经费不足。而研究表明，25%的教师是不合格的，大多数教师对实行新课程和新评估方式准备不足；学习领域的整合性使得很多教师不得不在没有接受过训练的学习领域从事教学，而国家却未能为教师提供有效的在职培训来减轻教师的负担。[①]课程改革也给教师带来了不确定性，遭到教师的抵制。课程改革增加了教师的负担，教师被要求增加更多的文案工作，留下大量的档案记录，评价学生的学习过程和表现，而占用了大量的教学和备课时间。教师在课程改革中缺少自主性，没有吸纳教师的参与，虽然他们是课程实际的执行者。以至于教师认为课程改革是由上至下强加的，而非具有必要性。[②]

在南非教师教育的改革中，国家逐渐强化了对教师的控制，但忽视了教师工作的自主性，而对教师的培训和支持不足，这影响到教师的工作积极性。

（三）教师教育的管理过于强调统一性带来的问题

在1994年以前，大学的质量保障主要以院校自我监控和同行评价为主，政府干涉相对较少。在1994年以后，新南非强化了政府评估，忽视了院校民主管理的需求。这种政府评估强调统一性。由南非资格局负责的南非资格框架的制定和实施，反映了教育部和劳动部的意志。南非将资格框架贯穿于所有的教育机构，这忽视了不同高校之间的办学规格与质量差距。南非高等教育系统经历了长期的分离式发展，不同地区不同高校的发展差异十分明显。“南非资格认定局将教育与培训整合在一起的做法忽视了不同高校的不同知

---

① 顾建新，牛长松，王琳璞．南非高等教育研究[M]．北京：中国社会科学出版社，2010：205-206.

② Rennie Esther Mphahlele neé Malele. A Decade of Education Change：Grounded Narratives of School Principals[D]. Universtiy of Pretoria，2009：147.

识逻辑，对于高校复杂的学科知识和科研并不适合。”[①]

在高校合并后，一些高校有主校区、分校区，还有远程教育、网上学习等教师教育项目，对它们采取统一的评估标准，很难反映教师教育的真实状况。这需要根据教师教育机构的类型与不同的课程体系，开发有针对性的项目评估体系。

南非不同部门的文件对教师的角色作出了统一要求，但它们进行了不同的定位，赋予了教师太多的角色，使教师难以胜任这些角色。如教育部颁布了《教育者责任与义务》，教育劳动关系理事会颁布了《发展性评价手册》，南非教育工作者理事会颁布了教师行为准则，教师教育政策委员会颁布了《教育者规则和标准》，并规定了教师具有七种角色。教育部颁布的《国家资格框架》《2005课程》都对教师角色、责任和义务提出了相应的要求。如《2005课程》规定了教师是一个终身学习者。实际上，优秀的教师是那些在具体教育情境中能做出迅速反应的教师，而非能承担所有角色的教师。这些角色能否得到教师的认同，还与教师的信仰、经验和判断有关。如教师作为社区参与者的角色，社区的多元文化可能与教师个人文化冲突，使得教师难以融入社区；《2005课程》要求师生关系是合作关系，但在课堂实践中，更多教师为了维护课堂纪律，加强了对课堂的控制。[②]教师角色更多是教师在具体教育情境中的良好体现，它在很大程度上是由教师的个性特质、教师文化和环境等多方面因素所决定的。如对于缺乏教材的乡村学校来说，仍然能够顺利地进行教学的教师就是好教师。南非政府引进澳大利亚、美国、新西兰和英国等国的教师标准，并不适合南非社会对教师角色的需求。高要求并不能带来高的绩效表现。这种统一的自上而下对教师角色的规定，并未得到教师的认同，使南非政府对教师的规范要求难以收到良好的效果。

---

① 田腾飞．社会变革背景下南非的教师教育研究[D]．重庆：西南大学，2012：126.

② Ken Harley，Fred Barasa，Carol Bertram，etal. “The real and the ideal”：teacher roles and competences in South African policy and practice[J]. International Journal of Educational Development，2000（20）：287–304.

第七章　南非教育治理的成绩和不足

20多年来，新南非对种族隔离遗留下来的教育制度进行了改革，积累了较为丰富的经验，如重视合作型治理、绩效考核和人员质量。当然，南非的教育治理也存在着一些问题，如治理的专业性与民主性之间关系难以协调，导致学生考试成绩未达到预期要求。

第一节　成功经验

新南非政府成立以来，非常重视教育的发展，教育治理取得了一定的成绩。南非教育部门针对教育上存在的各种问题，提出了诸多治理措施。这些治理措施都力图实现教育公平，提升教育质量，每次的规划也体现了此目标。如2016年3月，南非基础教育部发表了《五年战略规划》（修订版）（2015/2016—2019/2020）旨在为所有的南非人提供终身教育与培训的机会，改善生活质量，建立一个和平、富裕和民主的南非。

南非政府坚持以下价值观：以人民为中心，坚持宪法，对南非政府和人民负责；质量为先，任何事情都以追求卓越表现和专业精神为目标；保持团队合作，在教育中与他人合作，以开放和支持的方式来达到共同目标；持续学习，创造一种学习的组织，坚持创新；致力于满足高质量的服务训练需求。①

① Department of Basic Education（DBE）. Revised five-year strategic plan 2015/2016—2019/2020［R］. Pretoria：DBE，2016：9.

一、评估管理形成制度化

（一）实施结果本位评估

南非实施结果本位评估主要是借鉴了澳大利亚的做法。澳大利亚之所以成为南非借鉴的目标，关键在于澳大利亚的“结果本位”教育由该国的进步劳工运动发起，吸引了同为劳工领域的南非总工会的注意。它在南非势力强大，是新南非在政治上的主要同盟者。南非政府希望通过采纳该教育政策，让国外的投资者和国内的支持者相信，政府正在采取现代化政策，以实现经济增长、追求民主、与全球趋势同步的宏观目标。①

《2019中期战略规划》围绕着14个优先结果构成，覆盖了《国家发展规划2030》中的重点领域。高等教育与培训部负责14个结果中的结果5，即培养出“具有熟练技术和能力的劳动者，支持包容性的增长路径”。5个成果导向的目标为：其一，提供良好的学校后教育和培训指导框架。在2020年3月31日以前，通过发展和指导机制，综合规划和实施监督，来制定学校后教育与培训制度。其二，改善学校后教育与培训服务。在2020年3月31日以前，通过提供适当的学习评价服务，以及教与学，学生支持服务，以改进学校后教育与培训制度。其三，提高学校后教育与培训能力。在2020年3月31日以前，通过资金干预和基础设施建设，提高学校后教育与培训制度的能力。其四，牢固的利益相关者网络。发展伙伴关系，保持好的利益相关者关系，支持有效的学校后教育与培训制度。其五，高等教育与培训部门内卓越的商业运作。在高等教育与培训部内，确保优秀的商业管理和有效的资源管理。②

以结果为导向，有利于明确各教育部门的工作目标和评价标准，进而取得成效。

（二）详细评估教育部门的年度绩效表现

南非教育部门每年在学年结束时都发表年度报告，向公众汇报在过去一年中所做的工作。年度报告对照以往的相关法律、报告、国家发展计划、教

---

① 康叶钦．教育政策借鉴的四步模型研究：以南非“结果本位”教育改革为例[J]．外国教育研究，2013（1）：25-30.

② Department of Higher Education and Training（DHET）. Annual Report 2016/2017[R]. Pretoria：DHET，2017：16.

育部门的规划等提出战略目标，具体呈现过去一年中教育部门在相关领域所取得的成就。如基础教育部2016至2017年的年度报告，主要内容包括：基本信息、绩效表现信息、治理情况、人力资源管理、财务信息5个方面的内容。2017年，共有两个公共机构向基础教育部提交报告。南非教育工作者理事会报告了教师注册、教师专业发展、政策、规划与研究和专业伦理等情况。普通和继续教育培训质量理事会则向基础教育部报告了资格、课程和证书；质量保障评价；评估和鉴定；统计信息与研究。

在2016至2017年度报告中，基础教育部对过去一年各方面工作的绩效表现做了详细的报告。报告对以下9个方面的战略结果导向目标的绩效表现作了说明：其一，通过教师发展、招聘和任用，来改善教与学的质量；其二，通过提供充足的、高质量的基础设施和学习与教学支持材料，来改善教与学的质量；其三，改进学习评价，确保学业成绩的质量和效益；其四，扩大早期儿童发展项目，改善学前一年级（R年级）的教学质量，并支持学前一年级以前的幼儿教育；其五，增加引进非洲语言；其六，在基础阶段强化英语作为其他初级语言的阅读；其七，重新定位学校制度，促进数学、科学和艺术课程的学习参与；其八，强化绩效责任，在学校、社区和学区层面提升管理水平；其九，建立教育改革和提高质量的伙伴关系。①

（三）年度评估走向规范化

年度国家评估的推出始于2011年。年度国家评估具有双重的作用：一是侧重于提供系统的学习者表现信息，如向家长提供进度信息；二是总结评比，如向班级教师提供学习者能力的信息；允许学校、地区和省份之间的比较。年度国家评估专注于基础阶段的识字和算术，以及中等阶段的语言和数学。2012年9月，年度国家评估由一至六年级和九年级的所有公立学校学生参与。②

1. 年度评估的目的

年度国家评估是一种诊断评估，其主要作用是监测和跟踪学习者的表

① Department of Basic Education（DBE）. Annual Report 2016/2017[R]. Pretoria：DBE，2017：39.

② Melloy Graven，Hamas Venkatakrishnan. ANAs：possibilities and constraints for mathematical learning [J]. Learning and Teaching Mathmetics，2013（14）：12–16. [EB/OL]. http://journals.co. za/content/amesal/2013/14/EJC142532.

现。年度国家评估作为诊断工具，希望诊断薄弱学科，以及语言和数学方面的课程差距。年度国家评估是基于学校使用的国家课程，并测试学习者掌握所需知识和能力程度的课程。它的结果将用于监测实现学习成果的进展情况，指导规划和分配资源，帮助提高相关年级的学习者的语言和数学知识和技能。其结果不属于以学校为基础的评估，因此不会用于进一步的推广。

2. 年度评估的设计和方法

（1）评估周期

年度国家评估将在学年校历中的第三学期进行管理。这将确保根据课程和评估政策声明中规定的每个等级要求对大部分课程进行评估。

（2）普遍的年度国家评估

基础教育部资助所有公立学校的三、六、九年级学生，及独立学校的三年级或六年级学生，参与全国范围内的语言和数学标准化考试。三、六、九年级为基础教育部重点关注的年级，因此评估将严格控制在这三个年级。在其余情况下，年度国家评估将根据基础教育部长的决定进行管理。在这种情况下，测试将由基础教育部设计，省教育厅负责管理、标记和处理结果。基础教育部将监控这些等级评估的所有关键阶段。

公立学校的所有学生都必须参加由部长指定的等级写作考试。正在接受或有资格获得补贴的独立小学，将编写国家年度评估标准来确定他们的资助资格。

在基础阶段，语言和数学考试将以母语为基础，即学校的学习和教学用该语言进行。在中等阶段和高级阶段，将使用英语或阿非利卡语来进行测试。这些测试将由基础教育部在内部进行设置和检查，并由具有相关评估专业知识的人员和机构进行外部审查，特别是对评估主题进行审查。这将确保国家管理的测试受到国家审查。教师将根据基础教育部提供的指导方针对测试进行标记。在学校完成标记和审核后，第三学期结束时，将结果提供给每个学习者的家长和监护人员。

（3）核查年度国家评估

对年度国家评估结果的考核应由部长决定在等级三、六和九或其他任何等级上进行。核查年度国家评估的目的，是对选定的全体人口代表样本学校进行独立评估，以验证基础教育部进行的评估。作为验证过程的一部分，为了提高可信度，抽样学校不会事先告知他们已被抽样。独立代理将负责学校和学习者的抽样，对测试管理监控，对测试脚本标记，对标记报告进行分析，报告公立和独立学校的成绩。问卷也将被开发出来，以便从采样学校的学习者、家长、教师和校长中收集情境信息。

3. 年度评估的范围和幅度

（1）学习者进行评估

基础教育部将按照本政策第2章的规定（即前文中的设计和方法），对所有公立学校和适用的独立学校进行评估。

（2）评估主题

评估的科目包括基础阶段、中等阶段和高级阶段的语言（家庭语言或第一附加语言，以两者中的较低者为准）和数学。未通过国家年度评估的其他科目不得忽视，但应继续根据评估政策进行评估。

（3）评估的语言

基础教育部将在基础阶段、中等阶段和高级阶段中，提供使用英语和南非语（母语和第一语言）以及全部11种官方语言的标准化测试。

（4）评估的基准

年度国家评估测试将根据国际评估最佳实践进行基准测试，以确保结果的有效性和可信度。2017年，为了更好地实施国家综合评价框架，通过对年度国家评估的仔细研究，基础教育部推出了一种新的评价范式。即：其一，系统性评价。以样本为基础，在三年级、六年级、九年级，即每3年进行一次评价。它为基础教育部门，尤其是规划和评估部门，提供关于制度的健康运行与学习表现的有价值的数据。其二，诊断性评价。由教师来组织实施，发现学生成绩的差异。在其学习过程中及早提出解决方法，避免学习缺陷。其三，总结性评价。通过在选定的年级和学科中实行一场全国性考试，并为教师和家长提供一个国家基准，来判断学生的成绩表现，进而达到促进学生发展或过程评价的目的。[①]

基础教育部运用这些评价工具来追溯学生的发展情况，并利用它推进教师发展的相关项目。

二、注重对规划的制定

2016年3月南非基础教育部发表的《五年战略规划》（修订版），是对南非政府颁布的《国家发展规划2030》《中期战略框架》以及《2019行动计划：走向2030年的学校教育》的进一步具体化。《五年战略规划》（修订版）指出，南非政府将基础教育摆在国家优先发展的地位，对基础教育的投入占国民生产总值的5%，而对高等教育的投入只占国民生产总值的1.5%。[②]

《五年战略规划》（修订版）指出了实现战略性成果所面临的问题，规划完成的过程标准、风险管理、实现目标等。如管理项目，其目的在于管理好教育部，提供战略和行政支持服务。作为部门的部分工作，空缺管理、人力资源管理和绩效管理干预将作为优先考虑事项，以提高教育部履职的效率和能力。本项目的基本指标为：直接指向绩效改进与发展、服从、问责制和健全的财务管理制度。这些指标与教育部的战略目标相联系，既为公众服务，又为员工的专业发展服务。

《五年战略规划》（修订版）提出的第一个目标为，实现“有价值和有效的治理和管理”，同时指出了其实施所需的资源、风险管理的策略等。《五年战略规划》（修订版）提出了制度的战略性成果导向目标，制定了五个项目：管理，课程政策、支持与监控，教师、教育人力资源和制度发展，规划、信息和评价，教育改进服务，并制定了各项目的子项目，指明了其与《2014行动规划》《2019行动计划》等要实现的27个目标的关系。《五年战略规划》（修订版）提出的部分关键目标见表7-1：

---

① Department of Basic Education（DBE）. Annual Report 2016/2017[R]. Pretoria：DBE，2017：10.

② Department of Basic Education（DBE）. Revised Five-Year Strategic Plan 2015/2016-2019/2020 [R]. Pretoria：DBE，2016：3.

表 7-1 《五年战略规划》（修订版）部分关键目标[①]

主题类目	基础教育部实施计划
评估（年度国家评估，国家课程标准和国家数学和科学趋势测评）	• 改进年度国家评估，确保学业成绩的质量和效率 • 这五年的重点是借助于年度国家评估来推动课堂表现和各年级学习成绩，不仅局限于三年级、六年级、九年级。这种标准化测试应当促进课堂问责，但它也必须推动学区监测和评价流程 • 需要根据质量问题来改进年度国家评估测试——以确保考试制度严谨、科学，从而有效追踪系统绩效 • 加强干预以支持九年级有所进步的学生和原地踏步的学生（科目概况及科目改善计划） • 监督各省的评价报告，并将调查结果纳入改进计划 • 通过分析报告，监控学生表现
	• 整理和分析一至九年级所有科目的评估 • 通过 NSLA 报告学校评估的季度审核、对评估范例的分析、对 R 年级到九年级的干预措施 • 通过年度国家评估评价框架，提高一至九年级的语言水平 • 与关键利益相关者协调年度国家评估评价报告和框架 • 与关键利益相关者合作，并报告干预措施提升年度国家评估评价结果 • 评价分析语言成绩
教师招聘、岗位安置及管理	• 因师资年龄老化，有必要吸引年轻的教育工作者进入学校 • 管理峰萨－卢刹卡津贴项目；监察职位填报工作，包括安排年轻的合格教师任教 • 修订教师岗位分配，以适应课程变更 • 监测岗位供应规范的年度执行情况 • 根据 2016 年的非洲语言实施要求对语言教师进行充分培训

① Department of Basic Education（DBE）. Revised Five-Year Strategic Plan 2015/2016-2019/2020［R］. Pretoria：DBE，2016：23-25.

续表

主题类目	基础教育部实施计划
教师发展和提高教师专业水平	**教师发展** • 教师发展框架，包括对教师进行持续培训 • 基于年度国家评估的评价报告 • 为了满足基础阶段教学的要求，学校的 R 级扩展需要一个快速发展的 R 级教育者 / 实践者。目前，各省份在国家资格框架方面的培训水平不同 • 提高儿童早期教育教师的薪酬（如果所有省份都实施）将很快给各省的人事预算带来压力；因此，更好的规划至关重要 • 教师 ICT 一体化方案——为培训人员提供培训，并促进各省间的联系 • 确保所有峰萨 – 卢刹卡津贴获得者，都能够得到相应岗位 • 在省级层面加强峰萨 – 卢刹卡津贴之类的项目制定
	提高教师专业水平 • 逐步引入自我评价 • 开发测试工具，并将工具上传到所有的教师中心 • 在培训前应先对教师进行预先测试，并在培训后进行测试（这将被纳入每个培训计划） • 通过试点过程，逐步引入其他科目测试 • 寻求相应方法，对教师发展计划影响进行评估 • 对该项目的影响进行分析
校长能力	• 争取获得领导和管理高级文凭 • 进行年度调查，确定样本学校管理文档的可用性 • 为校长的任命制定能力评估标准 • 通过学校管理团队，加强校长任命和可能的绩效合同签约或工作计划 • 进行管理和领导力培训，以提高所有管理者履行其核心职责的能力

续表

主题类目	基础教育部实施计划
学区和学校的职能	• 确保省级办公室与学区、学区和学校之间的互动规范和标准。这些规范将会指导 81 个学区的运作 • 提高学区在员工的能力、计划、监控和评估、课程监督和人力资源管理方面的运作，实现学校预期的变化 • 实施绩效管理体系和全校评估政策 • 提高学校在课程监控、校长和学校管理团队的监督作用方面的能力，并确保所有的校长都能胜任管理职务
学校治理：学校管理机构主管部门，标准生成机构	• 为学校管理协会建立国家和省级协商论坛 • 基础教育部必须提供指导，并监控培训（指导内容参考标准生成机构） • 监督标准生成机构能力建设方案指导方针的执行情况 • 通过学校管理机构以及家长提高社区参与度

教育部门每年都会发布年度报告，公示目标的完成情况。如高等教育与培训部在2016至2017学年，有29项项目需要完成。其中完成了22项，完成率为76%。以大学教育项目为例：

表 7–2　绩效表现：战略目标、绩效指标、规划目标与实际成果 ①

战略目标	开发 10 项，检验 5 项新政策 / 规则、法规，以确保提供合理的大学教育
绩效指标	新的高等教育监控机制获得通过
实际成果	公立学校学生住宿最低规范和标准，在 2015 年 9 月以政府公报的形式发表（政府公报号：39328）

① Department of Higher Education and Training（DHET）. Annual Report 2016/2017[R]. Pretoria: DHET，2017：73.

续表

规划目标	7项高等教育指导规则获得通过	
目标描述	创造性与革新成果政策，通过政府公报在2017年3月31日公布	2017年3月31日，大学治理指标获得部长同意
实际成果2016/2017	创造性与革新成果政策最终定稿，由教育部长通过，在2017年3月31日公布	2017年3月28日，治理指标获得总长同意
规划目标与实际目标2016/2017的差距	2016年，目标未达成（以上）	2017年，目标达成（以上）

表7–2详细地介绍了高等教育培训部部分项目的完成情况。通过这种绩效表现的展示，形成绩效意识，同时确保了信息的公开透明。创造性与革新成果政策公布延迟的原因在于：在向部长提交最终版本之前，应考虑高等教育委员理事会的意见，导致向部长提交政策通过时延迟。教育部长需要通过政策后，才能公布；而由于时间推迟，以致不能以政府公报的形式发布。

在2015至2016年度预算会议上，基础教育部部长提出了应重点关注的议题。如：改善部门的治理和管理。提高年度国家评价和国家高级证书考试成绩。强调学校和学区支持。处理学校安全问题，如欺凌或暴力。更多关注学习者的健康问题，如对学生药物的滥用与筛查。通过促进教师发展和奖励教师，来激励教师。通过与全国教育合作信托组织建立融资伙伴关系，建立规则和标准，管理并开发功能。①

基础教育部对各个主题提出了相应的解决措施。这些主题涉及学前儿童发展，普及学校教育、完成12年教育年限，学习者在校的幸福、安全和社会融合，全纳教育，运动，艺术和文化/语言，数学和科学，评估，南部非洲与东非教育质量监控联盟，教师招募、岗位与运用，教师发展与专业

① Department of Basic Education（DBE）. Revised Five-Year Strategic Plan 2015/2016–2019/2020［R］. Pretoria：DBE，2016：20.

化，校长能力提升，学校和学区功能，学校治理能力、信息技术与多年级学校等。

三、内部审计制度更加健全

良好的治理是确保部门对现有资源充分有效利用的关键要求。高等教育与培训部出台了相关政策，对权力进行适当的控制和约束。要求所有工作人员，定期召开高级管理会议，讨论关键的行政、财务和业绩问题。高等教育与培训部对违规案件立即采取后续行动，以解决问题。根据《公共财政管理法案》第40条，高等教育与培训部每月定期对支出进行监测，并发表审计委员会的报告。①

许多大学面临的最大挑战之一是财务管理薄弱。高等教育培训部与南非特许会计师协会合作，确保合格的特许会计师，被任命为每所大学的首席财务官。他们的职责是适当控制大学的财务，建立健全的会计制度，并指导财务人员。

南非高等教育与培训部成立了内部审计委员会，并制定了内部审计的主要工作内容和目标。内部审计职能的目标是提供独立、客观的保证工作和咨询服务，以改进部门的运作。它通过引入一种系统的、严格遵守纪律的方法，来评估和加强风险管理控制，确保治理过程的有效性，从而协助部门实现其目标。内部审计部门根据《财政部条例》和《公共财政管理法》的要求，配备有操作熟练的人员，来履行其职能。

审计委员会对部门进行风险评估之后，制订审计计划。内部审计的主要内容：编制三年滚动战略和年度审计计划，对风险管理系统、控制系统、管理系统等进行内部审计，向管理层和审计委员会报告审计工作。按照审计计划完成下列活动：对补助金、各类信息系统、人力资源管理、供应链管理、基础设施、转移支付、财务报表审核等进行内部审计，并对审计长审

① Department of Higher Education and Training（DHET）. Annual Report 2016/2017[R]. Pretoria：DHET，2017：122.

计结果进行跟踪。此外，还包括法庭审计在内的其他业务。①

四、推动合作在教育治理中发挥更大作用

合作型治理要求南非政府部门有责任和义务，提供有效、透明、负责、热情、连贯的治理体系。1996年的南非《宪法》规定，教育部与教育厅应相互信任，竭诚合作，在行动和立法上保持一致，涉及共同利益时，相互告知和进行商量。

南非政府一直强调社会公平与民主，重视利益相关者的利益诉求。它们在教育治理中的作用愈加显现。南非政府在《五年战略规划》（修订版）中强调伙伴关系。要求做到：通过学校管理机构和家长，加强社区参与；强化与其他利益相关者的伙伴关系，通过合作改善教育服务水平；利用部门间的合作，提高服务支持项目，增进社会融合、学习者的幸福与安全；与卫生部门合作，引进驱虫等项目，巩固营养计划；宣传积极应对教育问题的公民。②

当前，在教育决策方面，在政策、报告和相关教育法律出台之前，教育部都会咨询各专业组织、教师工会等利益相关者的意见。如在颁布《南非教师教育与发展综合策略框架》（2011—2025）时，采纳了教师工会、高等院校与教师继续教育机构等利益相关部门的意见。

第二节　不足之处

由于南非教育政策变动频繁，存在多头管理、政出多门、城乡教育发展不平衡等问题，而且学校管理机构削弱了校长管理的权力和积极性，使得南非教育治理的成果大打折扣。在提倡各利益相关主体参与治理的同时，如何处理好专业性管理与民主参与之间的关系，提高教育治理的成效，是南非教

---

① Department of Higher Education and Training（DHET）. Annual Report 2016/2017[R]. Pretoria：DHET，2017：126-127.

② Department of Basic Education（DBE）. Revised Five-Year Strategic Plan 2015/2016-2019/2020[R]. Pretoria：DBE，2016：26.

育治理面临的一个难题。

一、城乡教育发展不平衡

1996年，为了解决城乡教育之间发展不均衡的问题，南非教育部提出了教师合理化与重新调配政策，以平衡城乡之间的师生比。南非学校的师生比过高，为贯彻教育部确定的小学的师生比为1∶35；中学为1∶40，各学区将教师在不同学校之间进行调配。1996年3月19日，为了在国家层面监控教师合理化和再分配政策的实施，跨省任务小组成立，负责协调各省之间政策的执行。该小组由一名教育部代表，各省一名代表组成。小组成员定期碰面，每月至少一次，以讨论相关问题。各省也成立了相应的任务小组。

随着政策的实施，由于农村黑人涌入城市，农村黑人教师将往城市调配，而白人教师则拒绝往黑人学校调动，他们要么提前退休，要么辞职。这使得白人教师大量流失。被调配的教师面临着一些困难，如环境的适应等。研究者通过对林波波省塞谢戈镇巡回办公室管辖的5所学校的调查发现，教师们乐意在同一所学校工作，而教师合理化和再分配政策的实施，带来了教师的高旷工率、对工作缺乏兴趣、痛苦的耻辱感，学生学习成绩大幅度下降，给教师、学生和家长都带来了压力。①

1998年，根据教育部的要求，各省开始实施教师合理化与再分配政策。各省教育厅要求学校召开会议，讨论学校教师缺编或超编的问题，同时考虑到学校的课程设置要求、学校的具体情况、后进先出原则，通过征求全体教师意见，每个岗位必须留两个及以上教师。

政策在执行过程中存在着诸多问题，如校长根据自己的好恶来决定教师的再分配人选，一些紧缺的数学和科学教师也被解聘，因为他们属于临时教师。1997年12月以前，成千上万的临时教师被解聘。学校经常虚报数据，目的在于为本校留住更多的教师。再分配政策被认为是一种纯数字游戏，而没有考虑到人的因素，没有考虑到教师的意见。该政策也导致教师失业现象

① Mobotja Morema Jack. A Critical Analysis of Rationalisation and Reployment of Educators in Limpopo Province[D]. Polokwane：University of Linpopo，2016：. IV.

增加。

有研究认为，在林波波省实施教师再分配制度存在着如下问题：教育部门没有为一些学校提供明确的再分配空余岗位表，导致一些学校教师缺额难以得到补充；教师岗位设置错误，没有考虑增加学生的数量；没有严格按照实施计划来进行；没有召开区域办公室听证会议，导致没有倾听再分配教师的诉求；教师工会团体的干预；对评价者缺少相关训练；对富余教师的识别程序错误；教师心中充满无助和不满等。①

南非城市与乡村教育的差距是由几十年的种族隔离政策所形成的，仅仅依靠合理化与教师重新分配政策，难以纠正以往的政策错误，消除城乡教育的鸿沟。

二、协调不够

（一）多头管理，政出多门

南非《宪法》规定了各省自治的权利。各省有权制定教育治理的程序和结构。而1996年的《国家教育法》则规定了教育部有权制定全国教育政策，对地方的教育起到指导作用。这种双头管理虽然针对的是不同层面的教育管理，但在教育政策的实施过程中会导致混乱和冲突。

南非是一个较大的联邦制国家。②由于教育部和教育厅都对其所管理的事务具有绝对的权力，所以需要二者进行合作，才能更好地促进教育发展。但在实践中，二者合作不畅的事情时有发生。有时教育厅不愿意合作，对执行教育部的规划缺乏热情，因为它觉得教育部的规划与教育厅不一致。这需要教育部和教育厅理顺关系，在制定政策时多考虑到地方执行的难度，并倾听教育厅的意见。

南非在教育治理过程中，重视质量保障，成立了多个质量保障机构，但各质量保障机构之间职能相互重叠，责任界限并不清晰。如高等教育委员会

① Ntsandeni Nemutandani. The Management of Educator Redeployment in Limpopo Province[D]. Pretoria: University of South Africa, 2004: 25-27.

② John Shebabese Maluleke. Co-operative governance in the national and provincial department of education in South Africa[D]. Pretoria: University of Pretoria, 2015: 12.

建立了高等教育质量委员会，而普通教育与职业教育训练委员会又建立了普通和继续教育培训质量理事会，分别负责普通教育与继续教育的质量保障。行业培训与训练局也建立了质量委员会负责技能训练。这导致职能上的重叠。但高等教育质量委员会宣称它没有兴趣和能力负责短期课程或技能培训，也没有兴趣关注由继续教育与培训学院提供的属于第5级的职业项目。普通和继续教育培训质量理事会也对单元标准课程不感兴趣，重点关注出口层级的资格。对学院来说，该保障系统不仅混乱，而且不完整，学院不得不面对不同保障机构对质量的不同要求，或难以对某些项目提出任何要求。[①]这体现出南非教育治理的碎片化特征。

（二）治理主体未能发挥其应有职责

在南非学校日常管理中，教师工会、校长、教师甚至学生都在分享着学校管理的权力，尤其是家长和社区有较大的权力。对学校管理产生了负面作用。因为在这种结构中，需要家长具备参与的知识和能力，社区要真正深入学校，同时赋予校长权力、明确校长的职责，以调动校长管理的积极性，这种分权治理制度才能运行良好。可现实并非如此。

1. 学校的管理缺乏教师参与，导致课程改革失败

在南非教育治理过程中，课程改革缺乏教师的参与。它是一种从上到下的政策设计，缺少对执行环节的跟进。教师没有参与改革的政策环节，他们只是出现在实施环节，这导致教师对课程改革缺少主人翁精神。教育部只是为教师提供了课程文本实施的具体指导意见，并不鼓励教师批判性地思考，而且学区缺乏对教师的持续支持。[②]一些学校师资缺乏、教材和教室不足和班额过大，也是影响课程实施的因素。因而，对教师的经验与意见在政策设计中的忽视，对课程实施过程中师资培训不足，缺乏人力、物力和财力的支

---

① Volker Wedekind. Chaos or Coherence? Further Education and Training College Governance in Post–Apartheid South Africa[J]. Comparative and International Education. Volume 5 Number 3, 2010: 302–315.

② Thandi Priscillia Nkosi. Teachers' experiences of the implementation of the Curriculum and Assessment Policy Statement: a case study of three primary schools in KwaZulu–Natal Province[D]. Durban: University of KwaZulu–Natal (Edgewood), 2014: 45–46.

持，是导致南非课程改革治理失败的主要原因。

2. 家长没有尽职参与

当治理主体承担自身责任时，教育服务才能有效地提供和创造性提升。如果家长只是等着被告诉做什么，或者只做被学校告知的事情，教育服务将会崩溃。①这需要家长承担自己的责任。因为，根据《南非学校法》的规定，校长和教师不得担任学校管理机构的主席。校长往往怕失去自己的权力，而不愿意与家长协商。学校管理机构成员代表着各方利益，由各方选出，因而有责任对各方关切进行回应。家长的参与能力决定了其在学校管理机构的职责能否有效地履行。在农村学校，面对文化程度较低的家长，校长不分享关键信息给家长时，学校管理机构就会丧失其职能，校长将会获得无限制的权力。事实上，除了少数白人学校外，大多数家长并不具有参与学校治理的意愿和能力。当家长被选为学校管理机构的成员后，学区会为他们提供短暂的培训，但这并不能帮助他们提升管理的技能。学校管理者与学校管理机构成员之间缺乏交流，家长缺乏管理的经验，却硬要他们去履行其在学校管理机构中的角色职责，是南非公立学校中存在的一个主要问题。②家长代表号称代表所有家长的利益，但在实践中也只可能是代表了部分家长的利益，而处于边缘化群体的家长并不能发出他们的声音。这也与制度设计中通过民主参与，来反映所有家长利益的目标背道而驰。

3. 工会未维护教师利益

工会作为第三方治理机构，代表着教师的利益。然而，在实践过程中，工会并未维护教师利益。有研究认为，工会异化成了一种压制性的国家机器，同时又是一种意识形态性的国家机器。③在豪登省教师重新调配政策执

---

① Simeon Maile. Accountability：an Essential Aspect of School Governance[J]. South African Journal of Education，2002，22（4）：326-331.

② Ngoepe，Mapula & Kaino，Luckson.（2014）. Governance and Management Support for Mathematical Literacy Teaching and Learning at a School in Mpumalanga Province of South Africa[J]. Mediterranean Journal of Social Sciences，2014：579-585.

③ Thulani Zengele. Teacher Trade Unionism as a Political Ideological State Apparatus within the South African Education System：A Structural Marxist Perspective[J]. Mediterranean Journal of Social Sciences. 2014，5（9）：470-477.

行过程中，教师们希望寻求工会的保护，希望他们能代表教师的利益。教师调配的标准为，满足学校任教课程的需求，同时兼顾平等。教师也希望能够做到公正、透明，实行“后进先出”的程序。但最后发现与校长关系不佳的优秀教师也会被调走。科任教师数量的充足与否不是校长重新调配教师的依据，教师与校长的关系往往是决定性的因素。工会只对工会成员的升迁感兴趣，当工会成员往上一级岗位调动时，工会才予以关注。南非民主教师联盟和校长是同盟者，甚至校长和学区管理者可能是工会安排的，教师发现裙带关系或者腐败现象时，也不可能向工会举报。这使得教师非常沮丧。不少加入了工会的临时教师也被解聘，他们感觉到遭到了工会的出卖，因为工会也参与了教师再分配小组的工作，他们并未能保护工会会员的利益。虽然，在1998年2月，南非民主教师联盟准备在3月份组织一次罢工，但教育部获得法庭裁决认为罢工是非法的，凡是参与罢工的教师将会被解雇，致使罢工在最后时刻被叫停。①

工会应该是监督学校，保护教师的利益不受损害的组织。但它在维护工会会员利益与支持执政党的政策之间没有发挥很好的作用。

三、政策脱离地方实际

南非的教育体制具有集权和分权的双重特色，有一定的优点。集权所指向的政策和事务，包括课程内容、评价标准、学校财政、教师供给方式等能提升教育系统的有效运作。但这必须与分权取得平衡，以便适应不同地区和每个学校社区的具体要求。②然而，近年来南非政府的集权化削弱了学校管理机构的权力。

南非政府在地方分权的过程中，给予了学校一定的办学自主权，却忽视了家长和社区参与学校管理应具备的条件。在种族隔离时期，地方学校管理

① Granville Whittle. The Role of the South African Democratic Teachers Union in the Process of Teacher Rationalistion in the Western Cape Between 1990 and 2001[D]. Pretoria: University of Pretoria, 2007: 146.

② Marius H Smit and Izak J Oosthuizen. Improving school governance through participative democracy and the law[J]. South African Journal of Education, 2011 (31): 55-73.

被省教育厅严格控制着，随着种族隔离的废除，南非政府进行了分权化的改革，给予学校自治的权力。校长必须变革管理方式，以适应新南非和《宪法》的要求，需要抱持新的概念与价值观，如民主、透明等，并考虑到所有利益相关者的参与。①这需要校长将以往的集权式管理改为校本管理，建立一种合作的文化。然而，在夸祖鲁-纳塔尔、林波波和东开普等农业大省，存在着不少极度贫困的社区。这些社区服务的对象，具有人口多、极度贫困的特点，在这些省份实施学校自治并非易事。在实践过程中，能否真正实现学校自治，还与校长管理方式有关。

1996年，政府出台了《增长、就业与再分配战略》。但是，由于政府经济中心仍然在城市，农村教育与城市教育发展不均衡的状态并未得到改善。有研究甚至认为，南非废除种族隔离后，由于政府不重视教育政策实施，政策文本只是表达了政治意图，并不是真正的政策实践。在种族隔离废除后很长一段时间，不少学校的课程标准并未进行改革。各种政策之间缺少融合，不同的政策实施有其各自的重点和目标。如2005年课程改革，是以结果为基础的教育，它并未与国家资格框架相融合，这导致国家资格框架实施之后，与各类学校机构并不一致。②

1996年，教育部颁布决议实施教师合理化与再分配政策，但该政策脱离了各地区的教育实际，遭到一些学校管理机构的抵制。西开普省格罗夫小学学校管理机构认为该政策迫使学校管理机构从再分配教师表格中选取教师，而非选择学校需要的教师，干涉了法律赋予它管理学校的权利，甚至将

---

① Thamsanqa Thulani Bhengu. School Principals' Experiences of Policy- Practice Interplay at School Level：Perspectives from Schools Inkwazulu- Natal. Vitallis Chikoko and Kenneth Molbjerg Jorgensen Edit. Education Leadership，Management and Governance in South Africa[M]. New York：Nova Science Publishers，Inc，2012：148.

② Jonathan D. Jansen. Political symbolism as policy craft：explaining nonreformin South African education after apartheid[J]. Journal of Education Policy. 2002，17（2）：199-215.

教育部告上法庭。[①]这一个政策脱离了各省的教育实际，由于各省的人均国民生产总值不同，能提供的各种资源也不同，规定一个强制的师生比，会导致混乱。一些学校由于缺少教师，不得不聘用临时教师，而大量教师不愿意去新岗位，这导致穷学校越来越穷。

此外，南非政府在语言政策的实施过程中也遇到了多种困难。南非《宪法》规定11种官方语言都具有同等的效力，但在学校实践中，英语是学校的优先教学语言。国家《宪法》规定保护语言的多样化，但地方政府却大力推行英语教学，使其他官方语言逐渐处于边缘化的地位。各省教育厅要求在学生基础教育阶段提供多种官方语言的教学，有的地区可能达到3—5种，但政府却缺乏财力去为所有语言的运用提供教材。提供单一语言教学，将一些概念翻译为其他语言，对于基础教育阶段的儿童的成长来说，是不适合的。

南非教育部门的政策在实施过程中，由于考虑不周，遇到了各种问题，导致政策变动频繁。在高校合并过程中，黑人管理者未考虑白人教育机构的需求。治理理论认为，多中心治理并不拒绝控制和规制，但在多元化、多样化、分散化的社会环境中，矛盾、冲突、差异、偏激等现象的存在是十分正常的，社会治理者应该善于通过谈判和协商，化解各种矛盾和冲突。[②]

---

① Theresa Nthabiseng Tshabalala. An Investigation into Educator Perceptions of the Implementation of the Rationalization and Redeployment Policy in KwaZulu Natal，South Africa：The Port Shepstone/Harding District as a case study[D]. Pietermaritzburg：University of KwaZulu-Natal，2002：32.

② 范铁中．西方国家治理理论对我国构建和谐社会的启示[J]. 理论前沿，2017（13）：18-20.

第八章　南非教育治理的发展趋势

为消除贫困，解决社会不平等的问题，南非政府在近年来出台了诸多教育改革措施。南非政府针对各级各类教育，实施了不同的治理措施，如基础教育的绩效管理、高等教育的适切性治理、教师教育的综合性治理等，以提升南非教育的质量。

第一节　基础教育的绩效治理

南非非国大党执政以来，基础教育规模逐渐扩大，但教育质量低下的状况并未得到完全改观。南非经济虽然得到一定程度的发展，但除了少数黑人新贵以外，大多数黑人并未得到实质性的好处。而南非黑人难以在就业和经济上取得成功的一个重要原因是，南非黑人未受到良好的教育。因而，提高基础教育的质量，成为南非社会实现平等和公正，促进社会发展的关键。南非教育部开始采取措施应对基础教育存在的短板，强化基础教育质量的绩效评估，并着重加强实施对农村基础教育的综合治理，改善幼儿教育发展服务，力图在这些方面有所突破。

一、进一步强化绩效评估

2017年7月，南非基础教育部部长安吉·莫采卡在主题《为21世纪的挑战和机遇做准备》的会议上发表了演讲。她指出，为迎接未来的挑战和机遇，学生需在4个关键领域做好准备，即合作精神和团队协作，创新思维，创造性，想象力、交流能力。她同时指出，在基础教育阶段面临以下问题：不少社区存在不合格教师，并缺少经费培训教师，缺乏学区的充足支持，一些省内社区中心资源或设备缺乏，各部门之间缺少协作。[①]

国际上一系列的评估结果表明，南非在基础教育领域落后于一些发展中国家。根据教育成绩评估国际联合会、国际阅读素养进展研究会，以及东非和南部非洲教育质量监测联盟等教育评估机构的评估结果，南非学生的阅读、写作和数学方面的水平在国际上表现不佳。如，在2006年进行的国际阅读素养进展研究调查中，南非5年级学生的阅读水平远不及印度尼西亚、特立尼达和多巴哥的4年级学生。全国系统评估项目和12年级的考试结果也表明，南非学生的学习表现，远低于教育系统所提供的资源应达到的水平。很明显，这需要改进教师的教和学生的学。如果能做到这点，学生将会在学校里学到更多的知识，学校也能留住更多学生。[②]由于南非与其他发展中国家在基础教育质量上存在着明显的差距，祖马任总统后，开始着手进行基础教育治理改革，以提升基础教育的质量。新的改革方案强调与以往相关政策法案的对接，以及管理和资金上的保障，力争使改革方案得到落实。

《2014行动计划》是南非基础教育部、各省教育厅以及其他17个相关政府部门通过协商而制定的。参与制定该文件的主要政府部门有：基础教育部、高等教育与培训部、交通部、科学与技术部、文化艺术部、社会发展部、公共服务与管理部、卫生健康部、体育与休闲部、妇女、儿童和残疾人部、农村发展与土地改革部、人居环境部、合作管理与传统事务部、信息部等。该计划规定了相关政府部门的责任。如基础教育部和高等教育与培训部在学生的注册人数、经费分配以及教师的职前培养等方面应开展合作。信息部应为学校提供平等的广泛运用信息技术的机会。学校的科学和技术课程属于教育的优先科目，科技部应为教学活动提供帮助，并与基础教育部开展一系列的合作项目。文学和艺术是学校的重要课程，文化艺术部将为学生参与

---

① DBE：Angie Motshekga：Address by the Minister of Basic Education，at the PLAY Conference 2017[EB/OL]. http://www. polity. org. za/article/dbe-angie-motshekga-address-by-the-minister-of-basic-education-at-the-play-conference-2017-st-georges-hotel-and-conference-centre-pretoria-12072017.

② Department of Basic Education（DBE）. Delivery Agreement For Outcome 1：Improved Quality of Basic Education[R]. 2010（10）.

校外的文艺活动提供支持。社会发展部要为幼儿教育提供支持，而一年级属于基础教育部管辖范围，二者的合作显得至关重要。人居环境部则为新学校的规划提供帮助。

《2014行动计划》提出了2025年南非学校应达到的愿景，同时规定了2012—2014年的年度近期目标。南非政府提出的2025年学校愿景为：

（1）学生每天准时上学，认真对待作业，会使用电脑，在学校享受美餐，参与文体活动，关爱朋友，尊敬师长。

（2）教师自信且训练有素，能够持续提高自身能力，全身心投入，给学生最好的教育，从而促进国家发展。教师工作环境优美，收入可观，工作满意度高。

（3）校长依据国家课程标准，确保教学顺利进行。校长通过负责任地领导，促进校内和谐和创新，形成良好的职业道德氛围。

（4）父母知晓孩子在学校的举动，能够定期收到学校提供的孩子成长的报告。家长的合理建议能被接受，任何有关教育的问题都能被教育部门解决。

（5）学习和教学材料品种多样，质量优良。师生都知道如何通过计算机获取想要的知识。

（6）学校建筑设施安全、宽敞，功能性强、维护良好，师生都能主动自觉地维护学校设施。①

为了实现上述目标，南非基础教育部于2010年10月签署了《交付协议·结果一：提高基础教育质量》。文件认为，教育是实现国家长远目标的前提条件。本届政府将基础教育阶段的学生作为优先考虑的对象，提高学生在“阅读、书写、批判性思维和解决数学问题”等方面的能力。这些技能将为学生的未来学习、工作满意度、工作效率和成为有意义的公民打好基础。

为此，教育部列出了利益相关机构和责任方，明确指出目标实现离不开利益相关机构之间的合作。如提升基础教育的质量，涉及的机构有教师工

① 蔡连玉，苏鑫．南非基础教育质量提升的路径[J]．比较教育研究，2014（12）：92-97.

会、代表学校管理层面的组织、与学校相关的非政府组织和宗教组织、普通工会，同时也涉及以下法定机构及其附属机构，普通教育、继续教育与培训质量保障理事会，南非教育工作者理事会，南非教育劳动关系理事会，高等院校，教育训练与发展实践部门，人文科学教育理事会，南部非洲银行等组织。

《2014行动计划》指出，提升基础教育的质量应从以下四个方面来进行①：

（1）改善教与学的质量；
（2）定期跟踪评估学生发展；
（3）改善儿童早期教育；
（4）构建一个具有可信度的“结果本位”规划问责制度。

在改善教学质量方面，又包括两个子目标，提高教师能力和实践水平，增加学生接触高质量学习材料的机会。

该计划有27个目标。目标1至目标13旨在促进学习和招生方面取得的成果。目标14至目标27关注如何实现产出。为了保持政策实施的连续性，27个目标与2011年行动计划中出现的目标基本相同（目标9除外）。部分目标如下：

目标1：增加三年级学习者的数量，这些学生在年底前掌握三年级语言和计算的最低能力。

目标11：增加低于一年级的儿童获得高质量幼儿发展的机会。

目标16：提高教师在整个职业生涯中的专业水平、教学技能、学科知识和电脑技能。

目标17：争取建立一个健康的、享有工作满意感的教师队伍。

目标18：确保学习者学习他们当前学年所应覆盖的所有主题和技能领域。

目标19：确保每个学习者都能接触到根据国家政策要求的最低

① Department of Basic Education（DBE）. Delivery Agreement For Outcome 1：Improved Quality of Basic Education[R]. 2010：10–11.

限度的教科书和工作簿。

目标20：提高学习者对包括电脑在内的各种多媒体的操作能力，从而丰富他们的教育。

目标21：确保全国所有学校的基本年度管理流程，都以有助于实现功能性学校环境的方式进行。

目标27：更好地利用电子教育，提高学区办事处向学校提供监督、支持服务的频率和质量。①

其中目标11、目标16、目标19、目标21、目标27五个为优先目标，反映了基础教育部对学前教育、教师素养、教科书的供给、学校管理，以及利用信息技术等方面的重视。

《国家发展规划2030》提出，与改善基础教育绩效表现，对学生成绩不断提升的学校给予绩效奖励。这一激励机制规定学习成绩提高10%或更高，是获得奖励的基本条件。《中期战略框架（2014—2019）》具体提出了提升年度考试结果的可验证性和可信度的要求。

改进学校管理。南非在教育治理中，仍然强调结果本位。年度国家评估（Annual National Assessments，ANAs）、《2014行动计划》及其《交付协议·结果一：提高基础教育质量》，是使南非学校变得更负责任的新措施中的关键组成部分。所有涉及教育过程中的行动者，从学习者到学校管理者，在他们利用教育资源的过程中应更具有责任心。无论是有突出绩效表现的学校，还是表现不佳的学校，都应予以关注。必须了解学校绩效表现不佳的潜在原因，以便及时提供有针对性的干预措施。同时，突出的绩效表现，应得到认可和推广。另外，应在全南非82个学区，约25 900所公立学校校长之间建立一个促进良好管理和问责制度。②

保障学校的功能齐全。只有功能齐全的学校才能保障教学的有效性，这种学校责权明晰，学校领导者备受尊重，学校在社区享有较高的声誉。为改

---

① Department of Basic Education. Action Plan to 2019：Towards the Realisation of Schooling 2030［R］. 2015：3.

② Department of Basic Education（DBE）. Delivery Agreement For Outcome 1：Improved Quality of Basic Education［R］. 2010：11.

进学校管理水平和提高学校的功能性需求，应重点做好以下工作：

一是加强时间管理。南非学校极少关心教师是否完成年度教学计划，由此带来教学任务积压。地方政府将采用一种新的国家检测体系，评估学校教学计划的完成情况。其评估报告会引导省政府和国家部门对教学关键指标进行进展追踪。另外，要增加师生之间的接触，以减少学生缺勤率，高缺勤率是辍学的早期信号。

二是防止出现“超额班”。产生超额班的原因主要有师资配置不合理、教室资源不足和教师时间管理不善等。为改善这一现象，南非将加强实施2007年的“鼓励教师去农村从教”的政策力度。此外，还将重新设计教学岗位分布系统，试点更直接地解决超额班的办法。

三是合理管理学校的财政和物质资源。虽然几乎所有南非学校都制订了学校年度预算，但近40%的学校没有制订改进计划。因此，国家和省级部门应加强对学校财务的系统监督，并采取补救措施。

四是鼓励家长和社区积极参与学校管理。学生学习效果的改善在很大程度上取决于家庭因素，父母要积极参与到政策制定过程中来，以帮助学生改善学习。①

除增加师生接触外，在贫穷社区提供免费午餐，建设高质量和功能齐全的学校，将会提升学生的出勤率。

学校管理的核心在于有一个有责任心和有能力的校长。近年来，所有学校校长都重新签署了《中层管理服务协议》，此举使校长的权力更为明晰，也为激励校长表现更佳和进行革新，创造了新机会。未来几年，为了提升校长管理水准，调整适用于校长的人事规则，将成为一个重要的挑战。同时，在所有影响学校发展政策制定的因素中，南非约26 000名校长应该既要把自己当作变革的关键因素，也要把自己看作重要的利益相关者。②委派有资格和能力的校长。改变任命过程，以使有能力的人担任校长。排除工会对校长

---

① 蔡连玉，苏鑫．南非基础教育质量提升的路径[J]．比较教育研究，2014（12）：92-97.

② Department of Basic Education（DBE）. Delivery Agreement For Outcome 1：Improved Quality of Basic Education[R]. 2010：20.

任命或提拔的影响，工会只能监督任命的程序，但不能决定校长的任命或提拔。执行校长资格制度。实施教育高级证书项目，为在职校长提供专业发展服务。①

同时，《国家发展规划2030》提出，要根据校长领导能力的提升，逐步给予他们学校管理的权力，如资金管理、教科书和其他教学材料采购、人力资源管理的权力。确保校长为学校承担管理责任。

实行绩效管理。根据基础教育部的要求，政府与正、副校长签订绩效考核合同，并利用这些合同督促校长们争取好的绩效表现。随着时间的推进，绩效考核合同应该运用到其他学校高级管理人员身上。对长期不能达到绩效考核目标的校长，政府根据监测信息和与利益相关者的谈话情况，进行撤换。

获得更多的学区支持。学区需要在项目管理、数据分析、监控、计划、汇报、问题解决方面引进人才，增加专业技术人才，为学校提供有效的支持。学校许多方面的问题也体现在学区层面的缺点。学区的课程专家应支持教师，管理者应支持校长。学区也应为学校的每学年计划负责，并为薄弱学校的绩效改进制订干预措施。②

2008年，《南非国家资格框架法案》规定设立普通和继续教育培训质量保障理事会，该机构负责管理一至四年级的子框架质量保障过程。标准设定和质量保障的目的在于，便于普通和继续教育培训质量理事会在使用不同层级评价节点时，约定和控制教育的行政和管理、质量保障的过程和程序。2016年，基础教育部提出了《五年战略规划》（修订版），指出对基础教育的绩效考核要求。其中一条为，建立一个可信的、以成果为导向的规划或问责制度（见表8-1）。2018年4月，南非基础教育部邀请各利益相关者对普通和继续教育培训质量保障理事会的工作提出评价意见。

---

① National Development Plan 2030. https://www. brandsouthafrica. com/wp_download_viewer. php?file=wp-content/uploads/brandsa/2015/05/02_NDP_in_full. pdf .

② National Development Plan 2030. https://www. brandsouthafrica. com/wp_download_viewer. php?file=wp-content/uploads/brandsa/2015/05/02_NDP_in_full. pdf.

表 8-1 一个可信的、以成果为导向的规划或问责制
（干预和支持优质教育的国家能力建设）①

子产出	活动
加强学校管理，推广功能性学校	适当的学校领导（校长） 教学领导 执行强化学校管理的策略 改善学校管理和信息系统
提升学区办公室的能力	实施省级学区策略与监控
按照要求修改规则和执行框架	执行省级策略与监控

二、实施农村教育综合治理

2016年《五年战略规划》（修订版）提出，未来五年，教育部门将会推出专门项目，支持农村学校和小规模学校的发展。基础教育部将会检讨和强化支持多年级农村学校的政策。②

（一）分类治理

农村学校分类治理的目的之一在于促进教育的均衡发展。在南非，“农村”一词是指由传统部族领导控制的土地和农业地区。具体指人口稀少、农业是主要经济活动的地区，也包括由于殖民或种族隔离设定的人口密集地区，以及几个不再进行采矿活动的矿区。③

南非政府认识到，提高农村教育的质量，不仅仅是经济上的问题，还需要民政机构参与和农村社区的合作来调动资源（包括社会文化资源、农业资

---

① Department of Basic Education（DBE）. Revised Five-Year Strategic Plan 2015/2016-2019/2020［R］. Pretoria：DBE，2016：19.

② Department of Basic Education（DBE）. Revised Five-Year Strategic Plan 2015/2016-2019/2020［R］. Pretoria：DBE，2016：3.

③ Department of Basic Education（DBE）. Rural Education Policy Draft［R］. Pretoria：DBE，2017： 15.

源、自然资源和土著知识系统）。农村学校的发展，除了希望经济富裕，更多的是为了达到三个目的：其一，获得尊严。提升师生对自身的评价和自我认同感，对自己及学习、工作和生活的地方产生自豪感。其二，社会联结。与他人联系在一起，培养归属感，如学校与社区建立伙伴关系，发挥作为一个幸福的、学习和教学的教育单位的作用。其三，享受功能性服务。学习者和教师必须有权获得基本的发展性服务，包括但不限于以下内容：健康、社会发展和图书馆。①

2017年颁布的《农村教育政策》（草案）提出，要对农村教育进行分类治理。缺少对农村学校的分类，导致不能精准地为农村学校提供有效的项目支持，这对农村学校质量的提升也有一定的阻碍。因而，应根据相关指标对农村学校进行严格的分类。具体应根据三个标准进行分类：其一，所处位置。即学校所在地理位置，如分散定居点、孤立地区和偏远地区。其二，硬件情况。即学校基础设施情况、自然文化环境、学校规模等。其三，剥夺指数。

该政策还对农村教育的课程政策作出了评论和调整，强调其与城市教育相比存在的特殊性。它指出："农村教育的农村性是教育改革的驱动力，而非城市教育议程和城市教育优先的追随者。"因此，农村学校的课程发展、物质供应、资源分配、科目选择，都应由三个主要原则来指导，它们要被纳入到农村学校的课程实施过程之中。②这三个原则是：课程应提升地域感、自豪感、学校所在社区归属感。同时，考虑到教师的流动性，课程应认识到农村资源的稀缺性。要承认农村社区的资源的独特性，课程应反映个体学习者和社区期望，同时也应反映社区的发展需求。

语言问题是困扰南非教学质量的一个突出问题。南非官方语言多达11种。这种现状凸显了实施分类治理意义。大多数农村社区是多语言的，教师和学生往往使用不同的母语。由于人口流动和语言的多元化加剧，给教学造成了困难。尽管英语只是少数人的母语，但大多数家长出于孩子未来就业的

---

① Department of Basic Education（DBE）. Rural Education Policy Draft [R]. Pretoria：DBE, 2017：13–14.

② Department of Basic Education（DBE）. Rural Education Policy Draft [R]. Pretoria：DBE, 2017：16.

需要，希望孩子掌握英语。然而，不少教师的英语教学水平存在问题。针对语言问题，该政策提出了以下改进措施：发展教师在多语言背景下有效教学的能力；在对母语和农村的环境反思中，开发英语教学支持材料；加强学校管理机构的能力，提升其关于母语发展价值的认识，同时将英语作为一门课程，而非作为一种教学的语言；在公众和社会媒体中创新项目，普及和支持本地语言的学习。①

（二）推动利益相关者支持农村教育发展

《农村教育政策》（草案）提出，要招聘年轻人如大学预科生、失业大学毕业生，作为课程支持的志愿者，对数学、文学、阅读等课程，以及在行政、运动和文化等方面的课程提供支持。其目的在于招募和训练地方青年进入教师职业。

推动社区开发一些新的发展举措。如农业、采矿、渔业、野生动物管理、营养计划等；调动老年人分享社区的历史、艺术、文化、语言等方面知识的积极性；让地方社区与地方政府、服务提供者、宗教组织、传统的理事会等建立伙伴关系，支持社区的教学、学习，提升社区的幸福感。

由于农村学校远离城镇、基础设施差以及为教师提供的服务有限，农村学校招不来教师，也留不住合格教师。为应对挑战，应为教师提供一系列的激励措施，除经济上的支持外，还包括提供教师发展、职业提升、交通、住宿、娱乐和其他基本服务。可以建立教师村，为学校的教师提供一些基本服务，如教师发展中心、安全的住宿环境、娱乐场所。这些措施，不仅可以改善农村教育服务，也可以为农村教育的可持续发展做出贡献。

高等教育机构为农村教师提供职前培训、在职培训和教师继续教育服务。提供与农村教育相关的项目和课程，包括优先的远程教学课程，师范生现场教学，师范生实习岗位或农村学校教学实习。为专门科目教师（科学、数学、农业、技术、语言等）提供多种形式的支持，如他们可以在几所学校任教，尤其是在边远地区的学校任教。

---

① Department of Basic Education（DBE）. Rural Education Policy Draft [R]. Pretoria：DBE，2017：16.

国家基础教育部负责制定准则和战略，监控并评估农村教育政策的实施情况。它负责确保实施该政策所需的资源可用。为了达到此目标，国家基础教育部部长将建立一个由教学主要参与者和利益相关者组成的农村教育保障委员会，该委员会向部长提出实施农村教育政策的建议，制订资助农村教育计划，监测和评估政策对农村学校的影响。委员会将负责协调多种资源，为支持农村学校发展提供帮助。

各省教育厅则负责建立专门的董事会或分支机构（以农村学校数量为依据）支持农村教育；建立一个解释国家政策的省级农村教育委员会，制订实施计划并协调全省包含农村在内的各项活动；准备个人和学校集群级别的实施计划，并设置教育和教师发展中心；确保所需的财务，制定物质和人力资源的实施政策；监测和评估农村教育政策的实施情况。

学区建立地区农村教育委员会来监督实施过程并支持农村学校，为所有地区的农村教育机构分配专职负责人；加强对专业技能的培训。

学校管理机构的职责包括：动员社区加强与学校和各种利益相关者更广泛的合作，来促进学校发展；利用资源（文化、自然、物质、社会）来支持教育和学习。①

为改善农村学校的办学条件，南非政府还要求通过实施《加快学校建筑设施交付倡议》项目，消除学校建筑不安全以及泥巴学校建筑的问题。良好的教学环境，不仅有利于提升教学成绩，还有助于增强学生的尊严。政府将进一步监控学校的基础设施如水、卫生、教学设备、电等配备。

（三）治理农村地区的小规模学校

南非政府针对农村小规模学校的关闭、教学最低标准等问题提供了治理方案，并规定了各级教育行政机构的职责。关闭农村小型学校的影响远远大于关闭城市中的小型学校。例如，在人口稀少的地区，学校与学校之间的距离远、路况差，以至于公共交通工具难以使用，小型学校成为获得教育的唯一途径。不少农村小学采取多年级的复式教学方式。在这种情况下，有必

① Department of Basic Education（DBE）. Rural Education Policy Draft [R]. Pretoria：DBE，2017：22.

要规定中小学的最低配套设施，以支持学习和教学。小学至少需要6名教师，不包括校长和R年级教师，这样学校就不会有跨阶段的多级课程。每个小学的最低要求是：1名基础阶段教师；5名中高级阶段的教师（1名强化英语作为其他初级语言的教师；1名非洲语言教师；1名数学/自然科学/技术教师；1名社会科学/创意艺术/生活方向教师；1名经济管理科学的教师）。①

中学每个科目都必须由合格教师授课。中学教师在继续教育阶段最多教授两门科目。只要距离允许，在师资短缺的情况下，流动教师可以服务一所以上的合格学校。小型学校还要求配备：支持工作人员，包括高级管理员、清洁员和保安人员；所有学校都获得所需的资源，一个地区可以建立一个中心学校。这将允许学校集群而不是个别学校成为行政和资源实体，同时确保为每所学校提供更高效的配置。它还可以分享人力和物质资源，包括娱乐设施和图书馆、实验室等专门的房舍。提供教与学支持材料：为小型学校提供的信息技术包，其中包括预装有R年级、普通教育与培训阶段继续教育与培训阶段课件的服务器、投影仪、电脑硬件和互联网连接、图书馆设施和实验室等。

第二节　高等教育的适切性治理

南非高等教育治理方式历来充满争议，其争论要点在于如何在高校自治与社会责任，在自我控制与政府干预和控制、学术自由之间获得平衡。近年来，南非高等教育与培训部根据高等教育贯彻差异发展的原则，对高等教育实行适切性治理，提升高校内部的治理水平，并激发各治理主体的积极性，以提升高等教育的质量。

① Department of Basic Education（DBE）. Rural Education Policy Draft [R]. Pretoria：DBE，2017：19–20.

一、实施分类治理

2013年公布的《学校后教育与培训》白皮书指出，高等教育与培训机构存在着质量低下、数量不足、多元化不够等问题。①为解决这一问题，南非高等教育需要更多的学习场地，更多样的学习课程，为学生提供更多的资金支持，更高质量的教育与培训。

差异化发展是高等教育的基本原则。②差异化发展，是为了让高校满足社会的不同需求，体现高等教育发展的灵活性。普通大学、综合性大学和科技大学应根据其自身定位和自身使命，形成自身发展特色，以满足不同条件、不同层次学习者对高等教育的需求。教育部对高等教育资格子框架进行了修正，其中提出：承认三条广泛的而界限交叉的资格发展路线，即职业教育、专业教育和普通教育路线，并清晰地阐明这三条路线之间的联系。并对一些已有的资格框架类型进行说明，如学士学位也有两种潜在的方向：专业型和普通学术型。修订后的高等教育资格子框架，与以往框架一致，提供了融合所有高等教育资格类型到国家资格框架的基础。它也提供了一个发展标准和质量保障的基础。它提供了一个改善高等教育单一性的方案，表明不同资格之间的联系路线。因而，提高系统的灵活性，使学生能够更有效地追求学术或从事职业。高等教育资格子框架制订了共同的资格参数和标准，促进跨系统资格的可比性，鼓励多元化和革新。高等教育机构有宽阔的视角，提供不同的教育供给，以实现不同的愿景、使命和计划，以满足利益相关者和他们所服务社区的不同需求。③

此外，高等教育与培训部将提升自己的能力，为大学提供支持。这包括

---

① Department of Higher Education and Training（DHET）. White Paper for Post—school Education and Training：Building an Expanded，Effective and Integrated Post-school System[R]. Pretoria：DHET，2013：9.

② Department of Higher Education and Training（DHET）. White Paper for Post—school Education and Training：Building an Expanded，Effective and Integrated Post-school System[R]. Pretoria：DHET，2013：29.

③ The Higher Education Qualifications Sub-Framework （HEQSF）[EB/OL]. http://www.che.ac.za/media_and_publications/legislation/government-gazette-higher-education-qualifications-sub-framewor-0.

发展其收集和使用数据的能力，以监测教育机构和系统的功能，并与南非职业教育培训学院共享这些数据。进一步提高南非职业教育培训学院的监测和评估功能，加强学院的学术委员会领导，使他们能够提供必要的学术支持，以提高每所大学提供的课程质量，包括职业指导课程。

二、提升高校内部治理水平

当前南非的大学已经相当多样化，大学的大部分差异都是历史遗留问题的结果。这体现在大学之间的巨大不平等，其中一些高校资源严重不足，而有的则是在全球范围内比较好的优秀机构。有些形式的差异是政策驱动的，尤其是大学的分类，包括传统大学、技术大学和综合性大学。大学课程设置的不同，部分是政府政策的结果，部分是由于机构的个人决定，以及它们从政府或其他地方获得的资源所决定的。当然，差异化也有积极的一面，它使大学能够更好地满足广泛的国家要求，同时提高效率和影响力。

学院理事会和管理层的领导要确保整个学院管理体系向预期方向转变。所有公立技术和职业教育培训学院的正确管理和治理是解决整个教育体系结构不平等问题的核心。没有高效率、高效能、专注和有动力的管理层，学院将无法确保为每年进入大学的数十万年轻人提供所需要的教育和保证培训的质量，或者确保学院系统能够扩大以满足国家的需要。[①]

高等教育培训部在理事会和管理层的领导力需在短期内得到加强。大学理事会制定能力建设方案，目的是确保各委员会了解高等教育培训部的广泛需求，并在其中发挥自己的作用。方案还应确保理事会成员了解政策和立法要求。当新委员会被任命时，每个学院应提供适当的入职方案。高等教育培训部正在制定一个大学校董会章程来指导委员会的工作，所有的委员会都必须遵守。大学一级的高级管理人员能力建设方案将协助他们有效履行职责，并为其机构提供有效的指导。高等教育培训部将与大学和其他主管机构合

① Department of Higher Education and Training（DHET）. White Paper for Post—school Education and Training：Building an Expanded，Effective and Integrated Post-school System[R]. Pretoria：DHET，2013：18.

作，持续完善和丰富这些方案。新校长和其他管理职位人员需要有适当的经验和接受过管理培训方能任职。

根据《高等教育法》，在每所高校内部的治理结构中，必须包括大学理事会、学术委员会、学生代表委员会以及院校论坛。为更好地实现高校学术自由与自治，应对政府对高校严格控制所带来的高校缺乏活力的状况，南非政府重视这些内部治理措施的具体落实，以提升高校内部治理水平。

三、由政府集权转向多主体共治

在种族隔离制度废除后，南非高等教育一直都是在政府政策的驱动下进行变革的。南非政府将公立学校的管理权全部都收归教育部管辖。改革都是自上而下地进行。政府通过高校的合并与重组，建立了政府对高校的绝对控制权。并通过一些措施，如拨款公示、限制招生人数等限制高校的招生规模。这无疑对高校自治传统造成一定的损害，南非大学的学术自由氛围也因此遭到破坏。变革后的大学也已经丧失了种族隔离时期对自由和民主的狂热。这导致了南非高等教育质量的下滑。它引发了2005—2006年南非学界关于院校自治和学术自由的激烈辩论。[①]政府开始认识到原有政策的偏差，从绝对控制转向与高校协商的方式，并注重提升高校的自我管理能力。

南非政府认识到高校与社会、市场之间存在着复杂的关系，开始重视非政府组织与专业团体的作用。随着人们对高校社会功能的强调，高校越来越注意到国内问题的解决离不开本土知识的运用。为满足社会需求，高校加强了与社区的联系，服务社区。

非政府组织具有政府所不具有的灵活、高效特点，能为南非教育问题提供创新性的解决思路。南非高等教育与培训部与南非教师工会、全国教育合作信托组织进行合作，以提高师资培养质量。《国家发展规划2030》提出，要将非政府组织作为国家发展的合作伙伴，将其视为合法的和负责

① 顾建新，牛长松，王琳璞．南非高等教育研究[M]. 北京：中国社会科学出版社，2010：322.

任的伙伴。①

南非高等教育在发展过程中，一直存在着教育公平和教育效率之间的矛盾。一方面要纠正种族隔离制度带来的教育不平等；另一方面要与世界接轨，奉行新管理主义和新自由主义，在扩大高等教育规模的同时，减少政府支出。近年来，政府越来越重视公私立高校之间的合作，以促进教育质量的提升。

以2016—2017财政年度为例，南非高等教育与培训部同国内外各方合作，以提升教育质量。如为改善南非教师数量缺乏的困境，高等教育与培训部同欧盟合作，实施教与学能力发展项目。在2019—2020年度，该项目将会投资2亿兰特，用作高校中教师教育的培训，重点关注学前儿童发展、小学文学、语言和数学的教师培养；以及在职业培训学院等特殊教育中的教师教育。该项目已使20 698人受益。

第三节　教师教育的综合性治理

南非政府颁布了《南非教师教育与发展整体战略规划框架（2011—2025）》。它也获得了各利益主体的一致同意。但该规划框架也存在着诸多不足，如缺乏可以衡量的成果以及具体的年度目标；只是将高校现存的培养模式进行了扩展，排除了新的革新方法；忽视了教育者的专业发展；缺少对私营机构将来在师资培训中所扮演角色的重视。②这导致该规划框架难以实施。

为了消除贫穷，减少不平等，同时提高师资培养的数量和质量，南非政府颁布了《国家发展规划2030》。

---

① John Volmink and Lynn van der Elst. The Evolving Role of 21st Century Education NGOs in South Africa：Challengesand Opportunities[EB/OL]. https://www. mietafrica. com/wp-content/uploads/2017/04/The-evolving-role-of-21st-Century-Education-NGOs-in-South-Africa. pdf.

② Teachers in SA：Supply and demand –CDE[EB/OL]. http://politicsweb. co. za/news-and-analysis/teachers-in-sa-supply-and-demand—cde.

一、促进教师专业发展

（一）明确各治理主体在教师专业发展中的职责

2005年颁布的《国家教师教育与发展政策框架》提出要建立协作式的教师教育支持系统。框架认为，许多主体和机构都参与教师教育，在这一系统中都负有相应的责任，它们彼此的工作相关或相互依赖，因而又有必要相互合作。

教育部和南非教育工作者理事会在教师教育系统中承担着独特的责任。它们的工作关系是最重要的，需要高度的相互理解和共同参与。

教育部承担着制订与教育尤其是与教师教育相关的政策的责任。发展中国家需要通过教育来促进变革。教育部对教师教育政策、计划、实施、经费支持承担领导责任。这意味着教育部必须落实让所有南非人享受接受基础教育的权利，增加继续教育的投入。确保有充足的受过良好培训的教师为所有人提供高质量的教育。

为所有人提供高质量教育目标的实现，需要教育部为教师提供持续的专业发展机会。在这方面，需要教育部继续与教育系统内法定的或非法定的主体，以及利益相关者合作，包括教育团体、教育工作者理事会以及教育厅合作，制定教师教育政策，对教师教育的实施进行监督、评估，并给予拨款。

教育厅作为教师的雇主，其在教育部的支持下，应确保教师的服务条件、工作条件、职业前景等都达到一定的标准。同时，教育厅还负责监督学校和教师的绩效表现。为达此目的，教育部将支持成立国家教育评价与发展处，根据学校整体评价政策规定和综合质量管理系统对教师的要求，来提供必要的、合适的评价过程。[①]南非基础教育部颁布的《2014行动计划：面向2025学校教育》提出，要促进教师专业化，在他们的整个职业生涯中，提高教师的教学技巧、学科知识和计算机素养。[②]

---

① Department of Education（DOE）. The National Policy Framework For Teacher Education and Development In South Africa[R]. Pretoria：DOE，2006：21-22.

② Department of Basic Education（DBE）. Action Plan To 2014-Towards the Realisation of Schooling 2025（full version）[R]. Pretoria：DBE，2011：100.

南非高校根据教育部的要求，开发各种教师教育项目，以应对基础教育对教师质量与数量的需求。如针对农村教师专业培训的需求，南非大学利用远程教育加强对农村教师的在职培训。高校对教师教育项目的实施有一定的自主权，但需要接受教育部委托的第三方进行质量评估。

（二）加强对教师发展项目的评估

南非基础教育部开发了不少新的教师教育项目，同时也强化了对实施项目的评估工作。2016年4月19日，教育部局长委员会通过了《新教师的引进：入职项目指南》。该指南已分发到各省。在2016—2017学年度，高等教育与培训部每月召开教师教育项目评价会议，邀请基础教育部等相关部门参加，其中180个教师教育项目获得评估。

2017年，在基础教育部的支持下，南非教育工作者理事会制定教师专业标准，以及更宽泛的教学专业化标准，用来对中小学教师进行评估。南非教育工作者理事会开发了教师继续教育管理系统，用于跟踪教师的专业发展。2016—2017财政年度，共有177 019名教育工作者注册参与了教师继续教育管理系统。具体见表8-2：①

表8-2　参与教师继续教育的管理系统人数统计（2016—2017）

类别	人数
校长及副校长	34 083
部门主任及代理主任	36 124
第一层级教师	10 2453
实习教师	4 359
总计	177 019

一些教师参与了专业学习社区和教师工会协作委员会组织的培训。这些培训针对不同学科、不同学校、不同阶段的教师展开。基础教育部对他们的

① Department of Basic Education（DBE）. Annual Report 2016/2017[R]. Pretoria：DBE，2017：40-41.

培训任务完成情况进行了评估与考核。

二、提升教师职业的吸引力

当前南非教师治理主要有三种办法：教师岗位分配、实施峰萨－卢刹卡津贴项目和南非教育工作者理事会制定的教师专业伦理规则。①南非教师岗位分配有相应的规则，根据学校的学生人数来决定是否招收新教师。对于贫困地区增加5%的岗位设置。峰萨－卢刹卡津贴旨在建立一种平等的教育制度，主要针对有志于服务薄弱学校和薄弱学科的教师申请者发放。教师专业伦理规则是为了促进教师的优异表现，它规定了教师对学生、家长、同事、社区和理事会的责任和义务。

（一）建立各种教师服务津贴项目

教育部建立全国教师教育津贴项目，它要求师范生通过签订服务合同来偿还津贴。教育部还建立了全国教师供求电子数据与信息中心，该中心与省级教育部门以及高校合作，它们有能力追踪教师的流失，提出在学区层面上学习区域、学段和课程的教师需求。这些信息可以影响“学会教学”津贴项目、省级教育行政部门关于服务合同奖励的决定、教育学院或教育系的招生决定。省级教育行政部门与大学合作的目的在于确保师范生恰当就业。

（二）师资培训面向私立高校

为提升公立学校的教育后备人数，吸引优秀人才从教，南非政府对符合资助条件的师范生进行全额资助，帮助他们完成学业。如2013—2014学年度，财政部对峰萨－卢刹卡奖学金项目拨款893 867 000兰特，全额资助14 513名在各高等教育机构就读的师范生。②津贴的增长促进了师范生人数的大量增长。但师范生的数量仍不能满足南非中小学校的需求，这需要开放

---

① Teacher Governance Reformsand Social Cohesion in South Africa：from Intention to Reality[J]. Education as Change，2016，20（3）：38-56.

② Department of Basic Education（DBE）. Annual Report 2013/2014 [R]. Pretoria：DBE. 2014. 103.

私立高校进入师资培训。一直以来，南非私立高等教育机构提供的师范教育有限。2013年，100多所私立高等教育机构提供教师继续教育培训，但只有少量的机构招收师范生。也有部分机构取得巨大成功。如夸祖鲁－纳塔尔省的恩伯里教育学院，2013年被南非最大的私人教育集团克罗格控股有限公司收购后就取得了巨大的成功。该教育学院专注于被公立高校忽视领域里的商机，如学前教育、基础阶段、特殊教育师资的培养，该机构回应新的社会需求，建立了良好的公私合作伙伴关系。①

（三）增加教师准入的管道

《国家发展规划2030》指出，当前某些学科或年龄阶段的教师严重缺乏，具体体现在语言、数学、科学和艺术学科，基础阶段和学前教育阶段教师也较为缺乏。教师缺乏的主要原因在于班级规模的减少，即中小学控制班额造成对教师的需求增加。规划提出，要培养更多质量更优的教师，同时临时聘用外国教师，为南非毕业的外国学生发放7年期的任教证书，创造制度性的环境，使私立学校的教师回流，还可以采取非传统的方式来培训教师，如允许非教育专业毕业的人担任教师；加大对峰萨－卢刹卡津贴的投入力度；支持专业协会与教师更紧密的合作，以提供专业发展机会、传递关于最佳教学实践的信息、在教学科目的前沿获得研究成果。②

南非政府也将加大对学生的资助力度，鼓励有实力的大学在农村地区附近设立卫星校区，为中小学培训优质教师。加大对农村自然科学、语言和数学等学科教师的培训力度，以解决农村相关学科教师短缺的问题。同时，提高农村教师的工资待遇，以实现城乡教育均衡发展。

（四）加大对峰萨－卢刹卡津贴项目的投入力度

峰萨－卢刹卡津贴项目是一项持续多年的、以促进教学为目的的计划。

---

① Embury Institution for Higher Education. About Embury[EB/OL]. https://www. embury. ac. za/about-us.

② National Planning Commision. National Development Plan 2030[EB/OL]. https://www. brand-southafrica. com/wp_download_viewer. php?file=wp-content/uploads/brandsa/2015/05/02_NDP_in_full. pdf.

该项目于2006年启动，是由基础教育部门领导的国家项目，由国家财政资助，由国家学生资助委员会管理。峰萨－卢刹卡津贴主要针对教育学士、教育硕士以及指定优先领域[①]的学生，资助类型包括全职、兼职和远程教育。奖学金涵盖了学生在校学习的多个方面：学费、餐费、书籍费、学习资料费，以及每月生活费用的小额津贴、出差费用津贴等。

奖学金只颁发给南非公民。学生申请者必须符合国家选择标准。例如，申请者具备一定的学术能力、获得两个优先领域的学位、想要从事基础教育的学生必须具备一定的数学知识等。申请者需要向学区办公室提交相关文件。在其他条件相同的情况下，应该优先选择乡村地区的申请者。助学金每年颁发一次，申请者可以在10月底前继续申请下一年度，直至完成学业。申请者必须按要求在公立学校任教相同年数（如受资助4年，则必须任教4年）。如果申请者没有达到相应资格要求、无法在公立学校中任教、提前离职或无法达到合约要求时，必须偿还其所受资助。[②]

为了吸引更多的人进入南非大学研修相关教师教育课程，峰萨－卢刹卡津贴项目于2007年实施了一项评估。在评估期间（2007—2012），该方案资助了23 392名学员，占该期间学员总人数的15%。[③]

南非政府为大学生提供的奖学金逐年提高，吸引了更多的大学生投身教育行业。在2017年，财政部对峰萨－卢刹卡津贴项目的投入总额为1 043 611 000兰特，资助人数为14 343人，比预定资助的人数14 000人多了343人，这归功于大学学费低于预期。[④]

---

① 指定优先领域包括：非洲语言、英语语言、数学、农业科学、生命科学、自然科学、农业、电力、机械、信息技术、计算机应用技术、工程图学和设计等。

② Fuza Lushaka Bursary Programme：for prospective teachers：2018 Academic year.［EB/OL］. http://www. gauteng. gov. za/government/departments/education/Announcements/GDE%20 Funza%20lushaka%20bursary%20program. pdf.

③ Implementation Evaluation of the Funza Lushaka Bursary Programme［EB/OL］. https://evaluations. dpme. gov. za/evaluations/514.

④ Department of Basic Education（DBE）. Annual Report 2016/2017［R］. Pretoria：DBE，2017：39.

总之，为了追赶国际潮流，南非对教师教育进行频繁的改革，但南非政府出台的教师教育政策忽视了当前南非教育所面临的困境。南非城乡之间，不同地域之间教育差距很大，政策调整和适应需要一定的时间。对种族隔离前师资培养经验的激进态度，也导致中小学师资力量严重缺乏，提高教师质量无从谈起。不考虑实际情况，一味地与世界接轨，教师教育政策只能被视为一种新的折腾，而教育质量低下则是其付出的必然代价。

参考文献

外文文献

[1] C. C. Wolhuter. Teacher Training in South Africa：Past, Present and Future［J］. Education Research and Perspectives, 2006（2）.

[2] C. N. Van der Westhuizen. The games institutions play–or the impact of university incorporation on the attitudes, beliefs and perceptions of college lecturers［J］. Sajhe. 2004, 18（1）, UNISA Press.

[3] Department of Basic Education（DBE）. Action Plan To 2014–Towards the Realisation of Schooling 2025（full version）［R］. Pretoria：Department of Basic Education, 2011.

[4] Department of Basic Education. Action Plan to 2019：Towards the Realisation of Schooling 2030［R］. 2015.

[5] Department of Basic Education（DBE）. Annual Report 2016/2017［R］. Pretoria：DBE, 2017.

[6] Department of Basic Education（DBE）. Delivery Agreement For Outcome 1：Improved Quality of Basic Education［R］. 2010（10）.

[7] Deparment of Basic Education. Policy on the organization, roles and responsibilities of educational districts［R］. Government Gazette No. 36324. April, 2013.

[8] Department of Basic Education（DBE）. Revised Five–Year Strategic Plan 2015/2016–2019/2020［R］. Pretoria：DBE, 2016.

[9] Department of Education. Revised National Curriculum Statement Grades R–9（schools）［R］. Pretoria, 2008.

[10] Department of Basic Education（DBE）. Rural Education Policy Draft［R］. Pretoria：DBE, 2017.

[11] Department of Education. Education For All–2005 Country Status Report：South Arica［R］.

Pretoria：Department of Education, 2005.

[12] Department of Education. Revised National Curriculum Statement Grades R−9（Schools）Overview [R]. 2002.

[13] Department of Education（DOE）. Teachers For the Future：Meeting Teacher Shortage to Achieve Education For All [D]. PHD Dissertation. Pretoira：University of Pretoria. 2015.

[14] Department of Education（DOE）. The National Policy Framework For Teacher Education and Development in South Africa [R]. Pretoria：DOE, 2006.

[15] Department of Higher Education and Training（DHET）. White Paper for Post—school Education and Training：Building an Expanded, Effective and Integrated Post−school System [R]. Pretoria：DHET, 2013.

[16] Diane Parker, Jill Adler. Constraint or Catalyst? The Regulation of Teacher Education in South Africa [J]. Journal of Education, 2005（36）.

[17] EO Mashile. Supply and demand for teachers：is open and distance learning an answer Africa Education Review [J], 2008, 5（2）.

[18] Gawie Schlebusch, Motsamai Thobedi. Outcomes−based Education in the English Second Language Classroom in South Africa [J]. The Qualitative Report, 2004, 9（1）.

[19] Gordon, A. Restructuring teacher education. Issues in Education Policy. Johannesburg：Centre for Education Policy Development [J], 2009（6）.

[20] Government Gazette. Constitution of the Republic of South Africa , 1996. As adopted on 8 May 1996 and amended on 11 October by constitutional Assembly（Act 108 of 1996）[R].

[21] Haroon Mahomed. Challenges and Prospects for Improving Teacher Education and Development Through the National Policy Framework on Teacher Education and Development [J]. Africa Education Review, 2009, 6（1）.

[22] Hersheela Narsee. The Common and Contested Meanings of Education Districts in South Africa [J]. University of Pretoria PhD Thesis. University of Pretoria, 2006.

[23] Jansen, J. D. Changes and continuities in South Africa's higher education system, 1994 to 2004 [R]. In Changing class：Education and social change in postapartheid South Africa, Ed. L. Chisholm, Cape Town：HSRC Press, 2004.

[24] John Shebabese Maluleke. Co−operative governance in the national and provincial

department of education in South Africa [D]. University of Pretoria. PHD Dissertation. Pretoira：University of Pretoria, 2015.

[25] Jordon P. Naidoo. Educational Decentralization and School Governance in South Africa：From Policy to Practice [R]. Paris：International Institute for Educational Planning UNESCO, 2005：39.

[26] Jurie Joubert. Multi–grade teaching in South Africa [J]. Commonwealth Education Partnerships , 2010.

[27] Kruss, G. （2008）. Teacher education and institutional change in South Africa [R]. Cape Town：HSRC Press.

[28] Lewin, Keith, Sarmuel, Michael and Sayed, Yusuf, eds. Changing Patterns of Teacher Education in South Africa: policy, practice and prospects [M]. Sandown：Heinemann Publishers Ltd, 2003.

[29] L. R. Becker, etc. The impact of university incorporation on college lecturers [J]. Higher Education, 2004, 48（2）.

[30] Martin Hall and Ashley Symes. South African higher education in the first decade of democracy：from cooperative governance to conditional autonomy [J]. Studies in Higher Education, 2005, 30（2）.

[31] Marius H Smit, Izak J Oosthuizen. Improving school governance through participative democracy and the law [J]. South African Journal of Education, 2011（31）.

[32] Mary Grace Flores Villanueva. Integrated Teaching Strategies Model For Improved Scientific Literacy In Second–language Learners [R]. Sociedade Brasileira De Física, 2010.

[33] Matshidiso Taole and Vusi S. Mncube. Multi–grade Teaching and Quality of Education in South African Rural Schools：Educators' Experiences [J]. Stud Tribes Tribals, 2012, 10（2）.

[34] Meyiwa. Towards a 20 year review：Basic and Post School Education [R]. Cape Town：HSRC Press.

[35] Michael Smout, Sandra Stephenson. Quality Assurance in South African Higher Education：A new beginning Quality in Higher Education [J]. 2002, 8（2）.

[36] Ministry of Education（South Africa）. Education white Paper 3：Programme for the Transformation of Higher Education [R]. Pretoria：Ministry of Education（South Africa）, 1997.

[37] M. T. C. Sehoole. The politics of mergers in higher education in South Africa [J]. Higher Education, 2005, 50.

[38] M X Mfusi. The effects of higher education mergers on the resultant curricula of the combined institutions [J]. SAJHE, 2004, 18（1）：98±110.

[39] Nolutho Diko.（2013）. Teacher Education. Editor：Vijay Reddy, Andrea Juan, Thenjiwe PJ Reddy, M Nkondo, PB Figaji. Restructuring higher education：For what? And how will we measure success? CDE debates [R]. Johannesburg：the Centre for Development and Enterprise, 2002.

[40] Rika Joubert. Incorporating international standards into national education law in South Africa：The accountability of the state [J]. Southern African Public Law 2014, 29（1）.

[41] Saloshna Vandeyar. Responses of South African teachers to the challenge of school integration [J]. South African Journal of Education, 2010, Vol 30.

[42] Sayed, Yusuf. Changing Forms of Teacher Education in South Africa：A Case Study of Policy Change [J]. International Journal of Education Development, 2002（22）.

[43] Thamsanqa Thulani Bhengu. School Principals' Experiences of Policy–Practice Interplay at School Level：Perspectives from Schools Inkwazulu–Natal. Vitallis Chikoko and Kenneth Molbjerg Jorgensen Edit. Education Leadership, Management and Governance in South Africa [M]. New York：Nova Science Publishers, Inc. 2012.

[44] The Council on Higher Education. South African Higher Education in the First Decade of Democracy [R]. Pretoria：CHE, 2004.

[45] Union of South Africa. The Bantu Education Act [M]. Government Publishing, 1953.

[46] Vimolan Mudaly, Deborah Moore–Russo. South African teachers' conceptualisations of gradient：A study of historically disadvantaged teachers in an Advanced Certificate in Education programme. The Association for Mathematics Education of South Africa [J]. 2011（1）.

[47] Vitallis Chikoko, Kenneth Mølbjerg Jørgensen. Education Leadership, Management and

Governance in South Africa [M]. Nova Science Publishers, 2012.

[48] V. Soobrayan. Transformation or travesty? A study of the micropolitics of educational change in the case of the incorporation of a college of education into a university [J]. University of Pretoria PhD, 2003.

[49] V. Soobrayan. Do legal frameworks direct merger outcomes? A study of the legal origins and consequences of recent higher education mergers [J]. Sajhe/Satho, 2003, 17（2）.

[50] Whitfield Green, Diane Parker, Roger Deacon & Graham Hall. Foundation phase teacher provision by public higher education institutions in South Africa [J]. South African Journal of Childhood Education, 2011, 1（1）.

[51] Whitfield Green, Michael Adendorff, Bongekile Mathebula. ‘Minding the gap?’ A national foundation phase teacher supply and demand analysis：2012—2020 [J]. South African Journal of Childhood Education, 2014, 4（2）.

[52] William Spady. Outcomes–Based Education：Critical Issues and Answers [R]. Arlington：The American Association of School Administration, 1994.

[53] Zuma, K. , etc. and the Educator Survey II Study Team. The Health of Educators in Public Schools in South Africa 2016 [R]. Basic Education Department of Education. Cape Town：HSRC, 2016.

外文网页

[1] About Embury [EB/OL]. https://www. embury. ac. za/about–us.

[2] A Brief History of South African Apartheid [EB/OL]. https://www. thoughtco. com/brief–history–of–south–african–apartheid–2834606.

[3] Action Plan to 2014：towards the Realisation of Schooling 2025 [EB/OL]. http://www. kzneducation. gov. za/Portals/0/Circuiars/General/2012/SouthAfrica_ActionPlan2025. pdf.

[4] African National Congress. Reconstruction and Development Programme：Developing our Human Resources [EB/OL]. http://anc. org. za/content/reconstruction–and–development–programme–developing–our–human–resources.

[5] ANC（1994）. A Policy Framework for Education and Training, part 4：A New Policy for Teachers. [EB/OL]. http://www. anc. org. za/content/policy–framework–education–and–training.

[6] Basic Education of Department. Curriculum Assessment Policy Statements（CAPS）[EB/OL]. http://www. education. gov. za/Curriculum/Curriculum Assessment Policy Statements（CAPS）/tabid/420/Default. aspx.

[7] Call for Public Comments on the Draft Policy for the Re Issue of Certification [EB/OL]. http://www. umalusi. org. za/docs/policy/2017/re–issuer–of–national–certificates. pdf.

[8] Constitution of the Republic of South Africa, 1996 [EB/OL]. https://www. gov. za/documents/constitution–republic–south–africa–1996.

[9] CHE, HEQE. Institutional Audits Manual 2007 [EB/OL]. http://www. che. ac. za/documents/d000150/H EQC_Inst_Audits_Manua1–Sept2007. Pdf.

[10] Deparment of Basic Education. Composition of a School Governing Body（SGB）[EB/OL]. https://www. education. gov. za/Informationfor/Parentsand Guardians/SGBs. aspx.

[11] Department of Education. White Paper on Public Service Training and Education [EB/OL]. http://www. dpsa. gov. za/dpsa2g/documents/acts&regulations/frameworks/white–papers/pst&e. pdf.

[12] Department of Higher Education and Training（DHET）. Draft Policy on the Minimum Requirements for Teacher Education Qualifications selected from the Higher Education Qualifications Framework（HEQF）. Pretoria：DHET. 2010 [EB/OL]. http://www. dhet. gov. za/Reports%20Doc%20Library/Draft%20Policy%20on%20minimum%20requirements%20for%20Qualifications%20in%20Education. pdf.

[13] Department of Labour. Sector Education and Training Authorities [EB/OL]. http://www. labour. gov. za/DOL/downloads/documents/useful–documents/skills–development–act/Useful%20Document%20–%20NSF%20–%20Sector%20Education%20and%20Training%20Authorities. pdf.

[14] DPME（2010）. Delivery Agreement for Outcome 1：Improved quality of basic education. Retrieved from Pretoria [EB/OL]. http://www. gov. za/sites/www. gov. za/files/DoBE_Delivery%20Agreement_03112010. pdf.

[15] DPME（2012）. Medium Term Strategic Framework. Department of Planning, Monitoring and Evaluation. Retrieved from [EB/OL]. http://www. dpme. gov. za/news/MTSF/MTSF%202014-2019. pdf.

[16] Education and Training Quality Assurance [EB/OL]. http://www. teta. org. za/inner. aspx?section=3&page=25.

[17] Education Districts [EB/OL]. https://www. education. gov. za/Information for/Education Districts. aspx.

[18] Fuza Lushaka Bursary Programme：for prospective teachers：2018 Academic year [EB/OL]. http://www. gauteng. gov. za/government/departments/education/Announcements/GDE%20Funza%20lushaka%20bursary%20program. pdf.

[19] Gross domestic product （Fourth quarter 2017） [EB/OL]. http://www. statssa. gov. za/publications/P0441/P04414thQuarter2017. pdf.

[20] History of SADTU [EB/OL]. http://www. sadtu. org. za/sites/default/files/pubs/history. pdf.

[21] HSRC. Higher education and economic development：The importance of building technological capabilities [EB/OL]. http://www. hsrc. ac. za/en/news/view/he-dev.

[22] HSRS. Release of TIMSS 2015 study results [EB/OL]. http://www. hsrc. ac. za/en/media-briefs/education-and-skills-development/timms-study-results.

[23] HSRC. What We Do [EB/OL]. http://www. hsrc. ac. za/en/about/what-we-do.

[24] Information on Education and Training Quality Assurance（ETQA）[EB/OL]. http://www. mict. org. za/downloads/publications/Education_and_training_repro. pdf.

[25] Integrated Strategic Planning framework Teacher Education Development in South Africa 2011-2025 [EB/OL]. https://www. education. gov. za/Portals/0/Documents/Reports/Integrated%20Strategic%20Plan%20Teacher%20Dev%202011-2025. pdf? ver=2015-02-03-110453-033.

[26] Implementation Evaluation of the Funza Lushaka Bursary Programme [EB/OL]. https://evaluations. dpme. gov. za/evaluations/514.

[27] John Volmink and Lynn van der Elst. The Evolving Role of 21st Century Education NGOs in South Africa：Challengesand Opportunities [EB/OL]. https://www. mietafrica. com/wp-content/uploads/2017/04/The-evolving-role-of-21st-Century-Education-NGOs-

in–South–Africa. pdf.

[28] Kader Asmal MP. Manifesto on Values , Education and Democracy [R]. https://www. gov. za/documents/manifesto–values–education–and–democracy.

[29] LURITS and Information Management Systems [EB/OL]. https://www. isasa. org/lurits–and–information–management–systems.

[30] Michael & Susan Dell Foundation. Success by Numbers：How Using Data Can Unlock the Potential of South Africa's R–12 Public School System [EB/OL]. https://www. msdf. org/wp–content/uploads/2016/03/Success–by–Numbers–Report_E–VERSION. pdf.

[31] Ministerial Committee on Rural Education. Report of the Ministerial Committee on Rural Education：A new vision for rural schooling [R]. Pretoria MCRE, 2005：1. https://www. education. gov. za/Portals/0/Documents/Reports/Ministerial%20Report%20on%20Rural%20Education. pdf? ver=2011–01–18–115532–587.

[32] National Development Plan 2030 [EB/OL]. https://www. brandsouthafrica. com/wp_download_viewer. php?file=wp–content/uploads/brandsa/2015/05/02_NDP_in_full. pdf.

[33] National Education Collaboration Trust. Program Overview [EB/OL]. http://nect. org. za/what–we–do/programme–overview.

[34] National Government of South Africa. Human Sciences Research Council（HSRC）[EB/OL]. https://nationalgovernment. co. za/units/view/107/human–sciences–research–council–hsrc.

[35] National Youth Development Agency. National Youth Policy, 2015—2020 [EB/OL]. http://www. youthpolicy. org/national/South_Africa_2015_National_Youth_Policy. pdf .

[36] NAPTOSA. About NAPTOSA. [EB/OL]. http://naptosa. org. za/about–naptosa/about–naptosa [EB/OL]. http://www. kzneducation. gov. za/Portals/0/Circuiars/General/2012/SouthAfrica_ActionPlan2025. pdf.

[37] NSFAS [EB/OL]. http://www. nsfas. org. za/content/mission. html.

[38] Operationphakisa [EB/OL]. http://www. operationphakisa. gov. za/Pages/Home. aspx.

[39] Parliament. General and Further Education and Training Quality Assurance Act, No. 58 of 2001. December. Cape Town：Parliament, 2001 [EB/OL]. http://www. umalusi. org. za/docs/legislation/2001/actno58_2001. pdf.

[40] Parliament. Higher Education Act 101 of 1997. Government Gazette. Cape Town: Parliament of South Africa [EB/OL]. http://www. che. ac. za/sites/default/files/publications/act101. pdf.

[41] Parliament. South African Schools Act No. 84 of 1996. Government Gazette. Cape Town: Parliament of South Africa. No. 17579 [EB/OL]. https://www. gov. za/sites/www. gov. za/files/Act84of1996. pdf.

[42] Provincial Infrastructure Plans [EB/OL]. https://www. education. gov. za/ProvincialInfrastructurePlans/tabid/759/Default. aspx.

[43] QCTO–Quality Council Trades [EB/OL]. https://www. skillsportal. co. za/skills–portal–categories/skills–development/qcto–quality–council–trades.

[44] Republic of South Africa National Treasury. Budget Review 2018 [EB/OL]. http://www. treasury. gov. za/documents/national%20budget/2018/review/FullBR. pdf.

[45] Rural Education Draft Policy [EB/OL]. https://www. education. gov. za/Portals/0/Documents/Policies/Draft%20Policy%20on%20Rural%20Education%200218. pdf?ver=2018–02–09–105713–287.

[46] SADTU. Strategic Goal Number1 [EB/OL]. http://www. sadtu. org. za/sites/default/files/docs/strategic1. pdf.

[47] SAQA. NQF History [EB/OL]. http://www. saqa. org. za/show. php?id=5659.

[48] Simon Diatleng Sebidi. Analysis of Administrative Governance in Education: The Case of Mpumalalanga Department of Education [EB/OL]. https://repository. up. ac. za/bitstream/handle/2263/26188/dissertation. pdf?sequence=1.

[49] South African Council for Educators Act [No. 31of2000] [EB/OL]. https://www. westerncape. gov. za/assets/departments/south–african–council–for–educators–act. pdf.

[50] South African Democratic Teachers Union [EB/OL]. https://en. wikipedia. org/wiki/South_African_Democratic_Teachers_Union.

[51] South African History Online (SAHO). Extension of University Education Act No. 45 commences [EB/OL]. http://www. sahistory. org. za/dated–event/extension–university–education–act–no–45–commences.

[52] South African Qualifications Authority Act 58 of 1995 [EB/OL]. https://www. gov. za/sites/

default/files/a58−95_0. pdf.

[53] Teachers in SA：Supply and demand –CDE［EB/OL］. http://politicsweb. co. za/news−and−analysis/teachers−in−sa−supply−and−demand—cde.

[54] The Extension of University Education Act of 1959［EB/OL］. https://www. thoughtco. com/extension−of−university−education−act−43463.

[55] The National Education Collaboration Trust （NECT）. Education collaboration reaches a third of the national system. Annual Report I［EB/OL］. 2016. p31−33. http://nect. org. za/publications/annual−reports/nect_ar16−web−27062017. pdf.

[56] The oldest teacher training college in South Africa opened［EB/OL］. http://www. sahistory. org. za/dated−event/oldest−teacher−training−college−south−africa−opened.

[57] The Reconstruction and Development Programme（RDP）［EB/OL］. https://omalley. nelsonmandela. org/omalley/index. php/site/q/03lv02039/04lv02103/05lv02120/06lv02126. html.

[58] The SACE Council. Registration Criteria and Procedures［EB/OL］. https://www. sace. org. za/pages/registration−criteria−and−procedures.

[59] The status of ICT in education in South Africa and the way forward. National Education Collaboration Trust（NECT）. http://nect. org. za/publications/technical−reports/the−state−of−ict−in−education−in−south−africa/ .

[60] Umalusi`s role in education and training in South Africa［EB/OL］. https://www. umalusi. org. za/show. php?id=2894.

[61] White Paper 7 on e−Education：Transforming Learning and Teaching through Information and Communication Technologies（ICTs）［EB/OL］. https://www. education. gov. za/Portals/0/Documents/Legislation/White%20paper/DoE%20White%20Paper%207. pdf?ver=2008−03−05−111708−000, 2004.

[62] Who we are［EB/OL］. https://www. nelsonmandela. org/content/page/who−we−are.

[63] Zukiswa Kota, Monica Hendricks , Eric Matambo, Vinothan Naidoo. The governance of basic education in the Eastern Cape［EB/OL］. http://www. gsdpp. uct. ac. za/sites/default/files/image_tool/images/78/Files/Working_papers/The%20governance. pdf.

中文文献

[1] 蔡连玉，苏鑫．南非基础教育质量提升的路径[J]. 比较教育研究，2014（12）.
[2] 蔡拓．全球治理与中国公共事务管理的变革[M]. 天津：天津人民出版社，2005.
[3] 陈晨．后种族隔离时期南非高等教育公平政策研究[D]. 金华：浙江师范大学，2012.
[4] 陈红梅．学费制度的合宪性之辩——以南非为个案 [J]. 西亚非洲，2007（9）.
[5] 陈珊．南非高等教育质量外部保障体系研究[D]. 武汉：华中师范大学，2008.
[6] 陈小芳．南非儿童权利保护法律制度研究[D]. 湘潭：湘潭大学，2011.
[7] 杜越．联合国教科文组织与全球教育治理[M]. 北京：教育科学出版社，2016.
[8] 范铁中．西方国家治理理论对我国构建和谐社会的启示[J]. 理论前沿，2017（13）.
[9] 方婷，李旭.南非高等教育合作型管理的发展进程及其启示[J].比较教育研究，2013（6）.
[10] 冯文全，景帆．《南非 2011—2025 教师教育与发展综合战略规划框架》的解读[J]. 天津师范大学学报（基础教育版），2014（2）.
[11] 高飞．南非公私高校合作关系的历史演进及启示[J]. 高教探索，2011（4）.
[12] 高飞．南非公私立高校合作关系探析[J]. 浙江树人大学学报，2012（6）.
[13] 甘杰．后种族隔离时期南非教师教育机构改革研究[D]. 金华：浙江师范大学，2014.
[14] 甘杰.《南非教师教育和发展综合战略计划框架：2011—2025》述评[J].现代教育论丛，2016（3）.
[15] 顾建新，牛长松，王琳璞．南非高等教育研究[M]. 北京：中国社会科学出版社，2010.
[16] 韩兆柱，翟文康．西方公共治理前沿理论述评[J]. 甘肃行政学院学报，2016（4）.
[17] 赫尔德，安东尼•麦克格鲁．治理全球化：权力、权威与全球治理[M]. 曹荣湘，译．北京：社会科学文献出版社，2004.
[18] 胡静，王天平．南非治理义务教育阶段择校问题的措施和启示——基于种族差异的思考[J]. 现代中小学教育，2014（9）.
[19] 胡象明．行政管理全球化：中国的视角与机遇[J]. 华中师范大学学报，2007（5）.

[20] 胡月 . 南非高等院校审核研究及其启示[D]. 上海：复旦大学，2010.

[21] 霍莹 . 新南非语言政策研究：基于语言资源视角[D]. 银川：宁夏大学，2010.

[22] 加文・布拉德肖，黄觉. 冲突之后的社会融合：南非十二年[J].国际社会科 学杂志：中文版，2008（3）.

[23] 康叶钦 . 教育政策借鉴的四步模型研究：以南非“结果本位”教育改革为例[J]. 外国教育研究，2013（1）.

[24] 康建朝，肖甦 . 南非农村基础教育变革新动向探析[J]. 比较教育研究，2011（4）.

[25] 蓝建 . 南非的“免费学校计划”[J]. 教育，2011（17）.

[26] 李安山 . 世界现代化历程：非洲卷[M]. 南京：江苏人民出版社，2013.

[27] 李芳 . 南非高等教育领域族群公平问题研究[D]. 兰州：西北师范大学，2010.

[28] 李海龙 . 论高等教育治理能力现代化的内涵[J]. 江苏高教，2017（4）.

[29] 李建忠 . 战后非洲教育研究[M]. 南昌：江西教育出版社，1996.

[30] 李娜 . 南非国家高中数学课程与评价标准 [J]. 数学教育学报，2013（8）.

[31] 李肖 . 南非教师职前培养的发展历程[D]. 金华：浙江师范大学，2015.

[32] 李旭 . 当前南非初等教育国家课程政策鸟瞰[J]. 西亚非洲，2004（6）.

[33] 李旭 . 南非高等教育语言政策管窥[J]. 西亚非洲，2006（2）.

[34] 李亚婉 . 南非大学的教学、管理、评估与服务体系[J]. 开放教育研究，2003（4）.

[35] 联合国教科文组织.2009年全民教育全球监测报告——消除不平等：治理缘何重要[R]. 巴黎：联合国教科文组织，2009.

[36] 刘兰 . 国际社会对南非的经济制裁及影响[J]. 德州学院学报，2016（1）.

[37] 刘兰 . 南非种族隔离时期的教育制度与种族分层劳动力市场的形成[J]. 世界民族，2016（2）.

[38] 刘晓绪，陈欣.南非高等教育改革中的平权行动政策分析[J].外国教育研究，2015（3）.

[39] 龙秀 . 民主南非基础教育课程改革研究[D]. 金华：浙江师范大学，2013.

[40] 沐涛 . 南非对外关系研究[M]. 上海：华东师范大学出版社，2003.

[41] 牛长松 . 南非高等教育多语制改革[J]. 非洲研究，2010（10）.

[42] 牛长松. 南非公立高校招生政策的演变——教育公平的视角[J].外国教育研究，2009（3）.

[43] 牛长松，顾建新．南非高等教育质量保障体系：框架、特色与挑战[J]. 比较教育研究，2007（12）.

[44] 钱乘旦，杨豫，陈晓律．世界现代化进程：非州卷[M]. 南京：南京大学出版社，2013.

[45] 荣黎霞．发展中国家如何致力于更加公平的教育——以印度和南非为例[J]. 比较教育研究，2007（2）.

[46] 宋莉，丁秀棠．南非发展义务教育的主要理念和法律规定[J]. 中国冶金教育，2005.

[47] 孙绵涛．现代教育治理体系的概念、要素及结构探析[J]. 教育研究与实验，2015（6）.

[48] 唐丽娇．种族隔离废除后南非独立学校管理体制初探[D]. 长春：东北师范大学，2011.

[49] 田腾飞．社会变革背景下南非的教师教育研究[D]. 重庆：西南大学，2012.

[50] 田腾飞，陈时见．南非教师资格的类型及其认证探析[J]. 全球教育展望，2011（3）.

[51] 王桂娟．南非学前教育管理体系研究[D]. 金华：浙江师范大学，2014.

[52] 王琳琳．南非颁布国家《课程与评价标准》[J]. 课程·教材·教法，2014（9）.

[53] 王琳璞．南非高校合并问题研究[D]. 金华：浙江师范大学，2008.

[54] 王琳璞，毛锡龙，张屹．南非教育战略研究[M]. 杭州：浙江教育出版社，2014.

[55] 王竹青．南非教师教育政策研究[D]. 济南：山东师范大学，2013.

[56] 吴钒珲．南非教师教育质量保障政策研究[D]. 福州：福建师范大学，2012.

[57] 武学超. 南非民主化进程中高等教育发展成就与问题审思[J].比较教育研究，2016（4）.

[58] 肖飞生，章苏静．南非基础教育信息化最新进展[J]. 现代教育技术，2008，18（8）.

[59] 熊健杰．后种族隔离时期南非教师教育政策研究[D]. 重庆：西南大学，2013.

[60] 徐今雅，甘杰．教师教育机构改革：动因、路径及成效[J]. 比较教育研究，2013（11）.

[61] 严芳．南非高等教育质量审核的新标准[J]. 中国高等教育评估，2004（3）.

[62] 姚巍，章苏静，肖飞生．南非教师质量问题及归因分析[J]. 外国教育研究，2011（10）.

[63] 张军. 以结果为本位：转型期的南非基础教育课程政策变革研究[D].宁波：宁波大学，2008.

[64] 张屹．南非高等教育语言政策的演变与现行多语制政策的实施困境[J]. 比较教育研究，2010（4）.

[65] 赵立．中国与南非小学课程科学标准比较研究[D]. 扬州：扬州大学，2014.

[66] 祝怀新，翟俊卿．南非私立高等教育质量保障机制探析[J]. 外国教育研究，2007（5）.

[67] 曾强，赵金富．南非当前的内外局势[J]. 现代国际关系，1997（12）.

中文网页

[1] 南非经济八年首现“技术性衰退”［EB/OL］. http://www. bbtnews. com. cn/2017/0608/196587. shtml.

[2] 世界银行 / 南非［EB/OL］. http://data. worldbank. org. cn/country/south−africa?view=chart.

[3] 中华人民共和国商务部．2016 年中国对非洲投资数据统计［EB/OL］. http://www. mofcom. gov. cn/article/tongjiziliao/fuwzn/swfalv/201704/20170402557490. shtml.

后 记

2016年初，我受周洪宇老师和王建梁老师的委托，开始撰写一本有关南非教育治理的著作，作为“全球教育治理研究系列”的其中一本。在此之前，南非教育对于我来说，相对比较陌生。与发达国家的研究相比，国内关于南非教育的研究非常单薄，资料也不多。我在接受任务之后，对能否顺利地完成任务常感疑虑。事实证明，此项担心并非多余。

对南非教育的研究，让我认识到中国教育的一些成功之处，如我国中小学的校长负责制、高校的贷款助学制度等措施值得我们一直继续坚持下去。同样作为发展中国家，我们也面临着同南非相似的困境，如城乡教育发展不平衡、农村教师的地位和待遇不高等问题。南非教育治理的一些举措，对我国具有一定的借鉴价值。

南非无疑是非洲大陆极具魅力的国家。独特而优美的自然地理环境、丰富的矿产资源，曾吸引着无数来自世界各地的人，尤其是欧洲殖民者前往“淘金”。南非与中国同为“金砖国家”成员，与中国的交往日益频繁。南非是华人在非洲大陆聚居最多的国家，也是中国在非洲投资最多的国家。

然而，除了浙江师范大学非洲研究中心之外，中国研究者对南非的关注还远远不够。此书也只是略作尝试，希望更多的研究者加入南非教育研究的“淘金之路”。由于时间和篇幅限制，本书有不少缺憾，如对“治理”一词的理解有待深入，对南非的学前教育研究不够，且对职业教育、特殊教育、国际教育等领域的研究鲜有涉及，这些有待我今后或其他研究者进一步加以研究。

1994年，南非各种族通过相对和平的方式实现了和解，这种伟大的南非智慧闪耀着人性的光芒，必将永垂史册。当然，直到今天南非依然深受种族歧视的影响，在社会的各个方面都残留着种族隔离的烙印，这是南非教育治理的负资产。南非民主制度建立后，大部分人民对民主制度充满信心，开放包容的多元文化，高质量的高等教育，使南非拥有大多数其他发展中国家所不具有的优势。随着大量受过良好教育、具有民主素养的人才逐渐成为社会的主流，南非政府再通过渐进式的改革，社会实现了转型。近年来，南非积极参与中国政府提出的“一带一路”倡议。同时，南非政府正在实施《国家发展规划2030》，将教育摆在优先发展的战略地位。通过教育治理，南非社会必将走向善治。非洲大陆上古老的民族与白人、有色人种、印裔之间的深度融合，一定会使南非的明天更美好。

本书完成之时，恰逢南非政府在约翰内斯堡举办“金砖国家”领导人第10次会晤。今年也是中国和南非两国建交22周年，中南将会在人文教育领域开展更多交流，两国友谊必将上一个新的台阶。本书也算是对两国关系蓬勃发展的一份见证！

感谢帮我搜集资料的诸多同学！本书参与资料搜集的人数较多，首先得感谢北京师范大学教育学部博士生陈梦越，他在浙江师范大学非洲研究中心帮忙查找到了我需要的大部分资料。华东师范大学教育学系博士生黄梦婉和北京师范大学的硕士生徐文俊也帮我找到了南非教育研究的部分资料。正是这三位同学所搜集的资料，使我对完成书稿初具信心。

华中师范大学教育学院的一些研究生、非洲留学生、本科生参与了部分资料的收集整理工作。他们是苏明明、陈琪、于文汇、王姝力、黄妮、Luboya Tshiunza Kornelio、Immanuel Kayode、Judicael Ihuikotan、费高阳、石明慧、韦莹莹、唐阳玥、王露、黄菲等。在此，一并表示谢意！

感谢喻本伐老师对本书文字上做的修改！感谢周洪宇老师和王建梁老师对本书写作过程的关心！

感谢浙江师范大学非洲研究中心研究员牛长松博士提供的开普敦大学和曼德拉城市大学的相关资料！

这两年多来，由于忙于较为繁重的教学和公共事务，本书的交稿时间一再推迟。非常感谢湖北教育出版社的领导以及杨宁巍、万婵等几位编辑，他们的宽容使本书得以完成。

本书的写作，参考了国内外一些相关的研究成果，对相关研究者表示感谢！

由于时间仓促，资料有限以及个人能力不足，错误在所难免，请各位读者、专家学者批评指正！

李先军
2018年7月25日
于华中师范大学